Gabrielle Lord

Traduit de l'anglais par Ariane Bataille

SEPTEMBRE

RAGEOT

La mise au point des textes médiévaux a été réalisée
avec l'aide précieuse de Christine Cancel.

Couverture : La cidule*grafic/Nathalie Arnau.

Suivi de la série : Claire Billaud et Guylain Desnoues.

ISBN 978-2-7002-3416-9

À Mathieu et Rory.

Je m'appelle Cal Ormond,
j'ai seize ans,
je suis un fugitif...

Les personnages de mon histoire...

Ma famille : les Ormond

- **Tom :** mon père. Mort d'une maladie inconnue, il a emporté dans la tombe le secret de notre famille qu'il avait découvert en Irlande. Il m'appartient désormais de percer le mystère de la Singularité Ormond grâce aux dessins qu'il m'a légués.
- **Erin :** ma mère. Elle croit que j'ai agressé mon oncle et que j'ai enlevé ma sœur. J'aimerais tant lui prouver mon innocence !
- **Gaby :** ma petite sœur, 9 ans. Elle est ce que j'ai de plus cher au monde. Elle a été kidnappée le mois dernier alors qu'elle passait sa longue convalescence au domicile de Ralf.

11

- **Ralf** : mon oncle. Il est le frère jumeau de mon père. Dérouté par son attitude depuis la disparition de ce dernier, je ne peux m'empêcher de me méfier de lui. D'autant plus que, désormais, il fréquente ma mère.
- **Bartholomé** : mon grand-oncle. Il a transmis sa passion de l'aviation à mon père. Quand je me suis réfugié auprès de lui dans sa propriété de Kilkenny, il m'a livré de précieux renseignements sur notre famille. Sa mort m'a beaucoup affecté.
- **Emily** : ma grand-tante, sœur de Bartholomé. J'ai récupéré ses documents sur la généalogie des Ormond au couvent de Manressa.
- **Piers** : un jeune homme mort au combat en 1918 pendant la première guerre mondiale. Un vitrail du mausolée de Memorial Park le représente sous les traits de l'ange dessiné par mon père. Lui aussi menait des recherches sur la Singularité Ormond. Drake Bones, le notaire de notre famille, détient son testament.
- **Black Tom Butler** : dixième comte d'Ormond et cousin de la reine Elizabeth Ière. Elle lui aurait offert le Joyau Ormond pour le remercier de ses loyaux services. Certains pensent qu'il est l'auteur de l'Énigme Ormond.

Les autres

• **Boris** : mon meilleur ami depuis l'école maternelle. Passionné par le bricolage, très ingénieux, c'est un pro de l'informatique. Il est toujours là quand j'ai besoin de lui.

• **Le fou** : je l'ai rencontré la veille du nouvel an. Il m'a parlé le premier de la Singularité Ormond et conseillé de me cacher 365 jours pour survivre.

• **Nelson Sharkey** : ancien inspecteur de police grâce à qui j'ai pu semer mes poursuivants et contacter les ravisseurs de Gaby.

• **Dep** : le « Dépravé » est un marginal qui m'a sauvé la vie et hébergé dans son repaire secret. Expert en arts martiaux et en coffres-forts, il m'a rendu service plus d'une fois.

• **Oriana de Witt** : célèbre avocate criminaliste à la tête d'une bande de gangsters, elle cherche à m'extorquer des informations sur la Singularité Ormond. Elle détient à la fois l'Énigme et le Joyau Ormond.

• **Drake Bones** : notaire des Ormond et représentant légal d'Oriana de Witt. Il conserve le testament de Piers Ormond.

• **Kevin** : jeune homme à la solde d'Oriana de Witt. Il a une larme tatouée sous l'œil.

• **Sumo** : homme de main d'Oriana de Witt taillé comme un lutteur japonais.

- **Vulkan Sligo :** truand notoire, chef d'une bande de malfrats. Il souhaite lui aussi percer le secret de la Singularité Ormond et me pourchasse sans relâche.
- **Gilet Rouge :** le surnom que j'ai donné à Bruno, l'un des hommes de main de Vulkan Sligo, car il en porte toujours un.
- **Zombrovski :** surnommé Zombie, ce complice de Vulkan Sligo a fait une chute mortelle du clocher de Manressa.
- **Zombie 2 :** frère aîné de Zombrovski, encore plus costaud que lui. Il est déterminé à venger la mort de son cadet.
- **Winter Frey :** jeune fille belle et étrange. Après la mort de ses parents dans un accident de voiture, Vulkan Sligo est devenu son tuteur. Elle m'a aidé à plusieurs reprises et j'apprends peu à peu à lui accorder ma confiance.
- **Ryan Spencer :** je connais enfin le nom de mon sosie. Ce garçon qui me ressemble comme deux gouttes d'eau serait-il mon frère jumeau ?
- **Jennifer Smith :** elle a été l'infirmière de mon père. Il lui a confié une clé USB pour moi. Cette clé contient des clichés pris par mon père lors de son voyage en Irlande.
- **Erik Blair :** un collègue de mon père. Il se trouvait en Irlande avec lui et pourrait avoir des renseignements sur son secret.

- **Griff Kirby** : fugueur de mon âge. Il traîne avec la bande de Triple-Zéro.
- **Triple-Zéro** : chef d'une bande de voyous. Il n'a que trois doigts à une main.
- **Ma Little** : tante de Griff Kirby. Cette tenancière de club obèse joue aussi les indics.
- **Dr Maggot** : individu inquiétant, expert en champignons mortels, il m'a fourni le numéro auquel joindre les ravisseurs de ma petite sœur.

Ce qui m'est arrivé le mois dernier...

1er *août*

J'ai été enterré vivant! Enfermé dans un cercueil, je peux à peine bouger. L'air commence à se raréfier. Grâce au signal de mon portable, Boris et Winter parviennent à localiser le cimetière où l'on m'a enseveli. Cependant, une fois sur place, ils découvrent une dizaine de tombes fraîchement creusées. Laquelle est la mienne?

2 *août*

Je me réveille à l'hôpital, étourdi et menotté. La police m'a arrêté! Boris et Winter ont été obligés d'alerter les autorités... pour me sauver la vie. Un inspecteur du nom de McGrath me soumet à un interrogatoire musclé. Gaby a été enlevée et il m'annonce que je suis le suspect n° 1!

6 août

Ma mère et Ralf me rendent visite. Ils exigent que je leur révèle où se trouve Gaby. Eux aussi sont persuadés que je l'ai kidnappée. Je n'en crois pas mes oreilles.

Plus tard, je découvre que les policiers ont l'intention de me transférer dans une maison d'arrêt. Je dois m'échapper au plus vite si je veux sauver Gaby. Grâce à un fragment de lame de scalpel, je parviens à me libérer de mes liens.

7 août

Je m'évade par un panneau du plafond mal fixé. L'hôpital et son périmètre grouillent de vigiles et de policiers qui me prennent en chasse. Une ambulance surgit alors devant mes yeux. Le chauffeur en jaillit et me cache à l'intérieur du véhicule. L'ex-inspecteur Nelson Sharkey est venu à mon secours! Il me laisse ses coordonnées avant de me déposer devant l'immeuble de Winter.

Celle-ci m'accueille avec soulagement. Boris est là, lui aussi. Nous évoquons la nuit où j'ai été enterré, puis je leur apprends que la police a relevé des traces de mon ADN dans la chambre de Gaby. Aurais-je un frère jumeau avec le même code génétique? Serait-il mêlé à cette histoire?

Winter et moi nous confions nos cauchemars envahissants.

18 août

Sharkey m'organise une rencontre avec **Ma Little**, une femme appartenant au milieu. Elle accepte de transmettre un message aux ravisseurs de ma petite sœur.

22 août

Je rejoins Griff Kirby, qui m'a promis des révélations sur Gaby. Je découvre avec stupeur qu'il est le neveu de Ma Little !

Ensemble, nous nous rendons chez le **Dr Maggot**, un indic. Alors que nous sortons de chez lui, un escadron antiémeute de la police fait irruption ! Sharkey vole une fois de plus à mon secours, secondé par Boris.

Je téléphone au numéro fourni par le Dr Maggot. Sur le répondeur des ravisseurs, j'offre de me livrer à eux avec tous les documents et informations que je possède, en échange de ma sœur saine et sauve.

Dans la rue, je tombe sur l'auteur des graffitis « Pas psycho » : c'est lui, mon sosie ! Je le poursuis jusque dans son appartement. Mais il m'échappe en s'enfuyant par la fenêtre. Dans sa chambre, je trouve son nom griffonné dans son cahier de textes : Ryan Spencer. Et sur son étagère est posé le chien en peluche blanc qui hante mes cauchemars depuis des années !

27 août

Je piste Sumo jusque dans une pharmacie où il achète des produits portant la mention « Nutrition intraveineuse. Formule équilibrée ». J'en déduis qu'Oriana de Witt a enlevé ma sœur ! Malheureusement, je ne peux suivre Sumo jusqu'à l'endroit où Gaby est retenue prisonnière.

29 août

Les ravisseurs me contactent pour me fixer rendez-vous le 31 août, à 21 heures, dans une ville au milieu de nulle part, Billabong. Winter, Boris et moi échafaudons un plan d'action grâce aux conseils avisés de Nelson Sharkey.

31 août

Je rejoins Billabong en compagnie de Winter. Quand les ravisseurs arrivent sur le pont où l'échange doit avoir lieu, j'exige de voir Gaby avant de livrer mes documents. L'un des hommes la dépose, emmitouflée dans un duvet, sur la chaussée. Au même instant, la voiture de Sharkey surgit à pleine vitesse sur le pont. L'ex-inspecteur et Boris jaillissent du véhicule et se jettent sur les truands. Alors que la bagarre fait rage, l'un d'eux précipite Gaby du haut du parapet ! Elle tombe dans la rivière.

Horrifié, je plonge aussitôt pour la repêcher. Elle est si fragile, comment pourrait-elle survivre? Je finis par retrouver le duvet, vide. Gaby a été emportée par le courant.

Je suis désespéré.

Non seulement j'ai perdu l'Énigme et le Joyau Ormond, mais j'ai été incapable de sauver ma petite sœur.

SEPTEMBRE

1ᵉʳ septembre
J –122

00:00

Frigorifié, tremblant de la tête aux pieds, j'ai titubé sur la rive rocailleuse où je me suis écroulé, non loin du pont.

J'ai fixé désespérément la surface sombre de la rivière mais un voile flou me brouillait la vue.

J'étais en état de choc. J'avais perdu Gaby. Je l'avais perdue.

Depuis mon plongeon, je ne m'étais pas préoccupé des ravisseurs ni de mes amis. J'ai tourné la tête vers le pont, à l'affût du moindre mouvement.

Je n'en ai remarqué aucun, à croire que j'étais seul au monde, hébété au bord de cette rivière en crue qui venait de m'arracher ma petite sœur.

De nouveau, j'ai sondé l'eau.

Soudain, quelque chose a accroché mon regard. Une forme coincée entre les branches noires accumulées sur l'autre rive.

Mon cerveau me jouait-il des tours en faisant naître une silhouette au milieu du bois flotté que la lune éclairait par intermittence ? Je me suis frotté les paupières, puis j'ai cligné plusieurs fois des yeux pour tenter de percer l'obscurité.

Une bouffée d'espoir m'a envahi : c'était bien un corps. J'en avais la certitude ! Il surnageait entre deux eaux près de la berge. Était-ce celui de Gaby, rejeté par le courant ? Y avait-il encore une chance qu'elle soit vivante ?

Je me suis précipité dans le flot glacé, obligeant les muscles tétanisés de mes jambes à fendre le courant en diagonale, de façon à ne pas me laisser entraîner vers l'aval.

Plus je nageais, plus j'étais convaincu qu'il s'agissait de Gaby. Il me semblait reconnaître sa silhouette. Elle était peut-être toujours vivante. Oui, vivante.

Le courant s'opposait à ma progression, m'empêchant de rejoindre ma sœur. Je risquais à tout moment d'être emporté par la rivière. Mais je lui ai résisté et, au prix d'un effort surhumain, j'ai réussi à me rapprocher de la rive.

Tout à coup, le courant s'est apaisé. Une étroite avancée de terre retenait les flots furieux, comme un barrage, et les détournait. J'y étais presque. Battant frénétiquement des bras et des jambes dans l'eau, j'ai enfin repris pied.

Les yeux toujours fixés sur la forme, je me suis dirigé vers elle. Brusquement, la silhouette que j'avais imaginée s'est volatilisée sous mes yeux.

J'ai hurlé de frustration et de rage, puis frappé la surface de l'eau avec mes poings. La chose coincée dans les branches n'était qu'une bâche en plastique, une sorte d'épouvantail grotesque.

J'avais pris mon désir pour la réalité. Il était impossible que Gaby ait survécu à une aussi longue immersion.

J'ai rampé sur la berge, trop épuisé et anéanti pour pleurer.

00:21

Un bref instant, la pensée de ma mère m'a traversé l'esprit. Elle serait terrassée. Jamais elle ne supporterait la disparition de sa fille. En plus, elle me croirait coupable de sa mort, on la persuaderait que je m'étais échappé de l'hôpital pour achever ma sale besogne.

Tel un animal blessé, j'ai escaladé la berge à quatre pattes. J'étais paralysé, frigorifié, à moitié mort de fatigue. Je me suis effondré sur le sol.

01:03

Les rêves les plus fous m'ont assailli. Gaby était agenouillée à mes côtés, en parfaite santé. Je lui parlais :

– Quand je t'ai vue tomber dans la rivière, j'ai aussitôt plongé pour te repêcher, mais je ne suis pas parvenu à te retrouver. L'eau était trop froide, trop noire, et le courant trop violent. Pardonne-moi, Gaby. Je n'ai pas pu te sauver.

Ensuite le paysage s'est modifié. Nous voguions au milieu de la baie des Lames, à bord de notre coque de noix.

Un orage éclatait. Gaby était terrorisée. Je lui demandais pardon :

– Je n'aurais jamais dû t'emmener, je suis désolé.

Elle ne prononçait qu'un seul mot :

– Cal.

Puis elle le répétait d'une manière distante, lancinante :

– Cal.

Soudain j'ai senti une forte secousse. Avais-je glissé dans la rivière ? Le courant me malmenait-il de nouveau ?

SEPTEMBRE

– Cal ! Réveille-toi ! insistait la petite voix de Gaby.

Dans mon rêve, elle m'attrapait par l'épaule. Une chaleur merveilleuse m'enveloppait le corps, me picotait doigts et orteils, ranimait mes bras et mes jambes gelés.

Pendant un moment, j'ai laissé cette sensation agréable m'envahir. L'orage de la baie des Lames était passé, le soleil était réapparu, ma sœur et moi étions baignés de lumière.

Puis le fantôme de Gaby s'est dissipé. La réalité reprenait le dessus. Je ne voulais pas me réveiller et avoir à affronter la vérité.

Gaby était morte. Je n'avais pas réussi à la sauver. Je gisais au bord de la Spin River. Ma sœur avait disparu à jamais, par ma faute.

– Cal !

J'ai ouvert les yeux. Une ombre noire me surplombait.

Quelqu'un, à côté de moi, me secouait sans aucun ménagement.

J'ai cligné des paupières.

Le fantôme de Gaby veillait toujours sur moi.

Était-ce le même genre de spectre que celui qui m'était apparu après la mort de mon grand-oncle Bartholomé pour m'annoncer que ma situation s'arrangerait ?

Il s'était trompé.

Rien ne s'était arrangé. Tout allait beaucoup plus mal qu'avant. Ma sœur était morte et, maintenant, je souffrais de terribles hallucinations.

J'ai secoué la tête pour me libérer du tourbillon d'images délirantes qui m'envahissait. Peine perdue, la voix a répété :

– Cal!

Gaby?

– Cal! Qu'est-ce qu'il y a? Pourquoi tu ne me réponds pas?

Je devenais fou. Mon cerveau avait dû complètement disjoncter.

– Gaby? ai-je murmuré en plissant les paupières.

– Oui, c'est moi, Cal. Qu'est-ce qui se passe? Pourquoi on est ici?

La voix de Gaby me parvenait, faible et indistincte.

Ce n'était pas une hallucination. Je regardais ma sœur droit dans les yeux et sa petite main, agrippée à la mienne, la pressait doucement.

– Gaby?

– Mais oui, Cal. Qu'est-ce que tu as?

– C'est vraiment toi, Gaby! Tu es saine et sauve!

J'ai pris son visage entre mes mains, et sentir sa peau douce et ses cheveux blonds sous mes doigts m'a bouleversé.

– Aïe! a-t-elle protesté en se dégageant.

– Pardon, je suis si heureux de te voir! De t'entendre! Je crois rêver. Tu es vivante!

Je l'ai dévisagée intensément. Sous la faible lueur de la lune, ses joues paraissaient moins rondes et ses traits moins enfantins que dans mon souvenir. Cependant, aucun doute, c'était bien Gaby. Et elle était tout près de moi, trempée, désorientée et grelottante, mais vivante!

– Pourquoi tu dis ça? Je ne comprends rien, a-t-elle gémi en jetant des coups d'œil inquiets autour de nous. On est où? Il fait tout noir. J'ai peur, Cal. Rentrons à la maison. S'il te plaît!

Je l'ai serrée de toutes mes forces dans mes bras, comme jamais je ne l'avais serrée. Si seulement je pouvais la ramener à la maison. L'envelopper dans une couverture, appeler notre mère…

– Ne t'inquiète pas, ai-je chuchoté à son oreille, tout va bien se passer. Je te le promets.

Je l'ai gardée contre moi pour la réchauffer et la rassurer.

Nous sommes restés accrochés l'un à l'autre et, peu à peu, ses tremblements se sont apaisés. Je me suis reculé pour la contempler une nouvelle fois. Avec ses cheveux lisses et mouillés, elle ressemblait à une petite sirène.

– Bientôt nous retournerons chez nous.

– Mais où on est ? Pourquoi on est allés nager dans cette rivière en pleine nuit ? Pourquoi j'ai la tête tout embrouillée ?

– On n'est pas allés nager... ai-je commencé.

Je n'ai pas achevé ma phrase. Ma sœur avait l'esprit encore trop confus. Je lui expliquerais plus tard. C'était déjà si bon de l'avoir à côté de moi, en vie, et de savoir qu'elle allait bien.

– J'ai cru que j'étais dans la baie des Lames et qu'une grosse vague m'avait emportée, a-t-elle raconté. J'ai voulu nager, mais j'étais coincée dans un sac.

– Un sac de couchage.

– Quoi ?

J'ai éludé sa question.

– Il faut trouver un moyen de se réchauffer, ai-je annoncé en claquant des dents.

J'ai observé les alentours dans l'espoir d'apercevoir Boris, Winter ou Sharkey. Ils restaient désespérément invisibles.

– En route.

01:13

J'ai aidé Gaby à se redresser. Tout danger n'était pas définitivement écarté. Je devais examiner les environs. Découvrir ce qu'étaient devenus mes amis. Et éventuellement déjouer la surveillance des truands.

Gaby a vacillé sur ses jambes avant de tomber à genoux.

Je me suis penché pour la relever. En larmes, elle a gémi :

– Qu'est-ce qui m'arrive, Cal ? J'ai mal aux jambes. Et d'abord pourquoi on est ici ?

J'ai pris son visage entre mes mains.

– Je répondrai à toutes tes questions plus tard. Pour l'instant, il faut qu'on quitte cet endroit. J'ai des choses à vérifier. D'accord ?

Elle m'a adressé un regard plein d'espoir.

– D'accord ? ai-je répété. Tu me fais confiance, n'est-ce pas ?

– Oui.

Elle s'est agrippée à mon bras pour garder l'équilibre.

– Alors, grimpe ! ai-je dit en la hissant sur mon dos.

01:51

Une fois parvenu sur un affleurement rocheux situé en hauteur, j'ai reposé Gaby à terre, puis je lui ai demandé de m'attendre tandis que j'allais observer le pont de plus près.

Sous la lumière des lampes, je n'ai distingué aucun signe de Boris, Winter ou Sharkey, pas plus que des ravisseurs. Le pont était désert. Aucune voiture en vue.

J'étais hanté par l'idée que les truands rôdaient toujours dans les parages. Les imaginer dissimulés dans l'obscurité m'angoissait.

Je suis retourné chercher Gaby.

Au moment où elle passait ses bras autour de mon cou, j'ai entendu des bruits de pas. Immédiatement, je me suis reculé.

Une silhouette avançait vers nous, tête baissée, au milieu des broussailles.

J'ai caché Gaby derrière un gros rocher en lui enjoignant, un doigt posé sur mes lèvres, de rester tranquille. Et sans lui laisser le temps de protester, j'ai chuchoté :

– Ne bouge pas d'ici avant mon retour.

Puis, plaqué contre le rocher, j'ai avancé en le contournant. Je dominais d'environ un mètre le sentier emprunté par l'intrus. J'aurais l'avantage de la position et de la surprise.

Lui aussi avait choisi de se déplacer en hauteur, sans doute pour mieux surveiller les abords du pont et de la rivière. Il fallait que j'agisse le premier, avant qu'il ne détecte ma présence. Cette fois, je sauverais Gaby!

Je me suis baissé ; ma main s'est refermée sur une pierre. La silhouette s'approchait : pas très grande, mais large d'épaules. Lorsqu'elle est arrivée à ma hauteur, j'ai bondi sur elle et nous avons roulé par terre. La pierre dans la main droite, j'étais prêt à lui fracasser le crâne.

– Hé ! Qu'est-ce qui te prend ?! C'est moi !

Un parfum familier m'a chatouillé les narines.

– Winter ?

Elle s'est dégagée pour me dévisager. Des mèches de cheveux échappées de son bonnet m'ont balayé la joue. En réalité, le bonnet appartenait à Boris. Quant au blouson de cuir, je ne l'avais jamais vu. J'ai lâché la pierre que je serrais toujours fermement.

– Désolé, je ne t'avais pas reconnue. Je m'attendais à voir surgir l'un des ravisseurs. Tu vas bien ? Boris et Sharkey aussi ?

– Oui, oui, tout le monde est sain et sauf, a-t-elle débité à toute vitesse. Par miracle, tu es vivant ! Avec Boris, on t'a cherché partout le long des berges. On était sur le point d'abandonner. On était fous d'inquiétude !

Elle m'a pris dans ses bras. J'ai senti ses cheveux mouillés contre mon cou.

Tout en remontant le col de son blouson en cuir, elle m'a expliqué :

35

– Ce blouson appartient à Nelson. Il l'avait à l'arrière de sa voiture. J'ai dû me changer, j'étais trempée après avoir plongé à ta suite.

– Tu as plongé?

– Bien obligée. Nelson était blessé; il saignait abondamment. Boris devait s'occuper de lui. Je n'ai pas réfléchi. J'ai sauté à l'eau.

– Tu es folle, Winter, ai-je observé, tout à la fois stupéfait par tant de courage et secrètement flatté qu'elle ait risqué sa vie pour moi. Tu aurais pu te noyer.

– Toi aussi, a-t-elle répliqué gravement. Cette rivière est infernale. Elle m'a entraînée comme un fétu de paille. J'ai eu une chance phénoménale : j'ai pu agripper une branche de saule et me hisser sur la berge. Le courant était beaucoup trop violent, Cal. Tu ne pouvais pas sauver Gaby. Personne n'aurait réussi.

– Winter... ai-je commencé avant d'être interrompu par Gaby.

– Cal? Ça va?

Winter a écarquillé les yeux. Malgré la pénombre, j'ai vu l'incrédulité, la joie puis le soulagement éclairer son visage. Sans qu'un seul mot soit prononcé, j'ai deviné la question dans son regard : « C'est vraiment elle? ».

J'ai hoché la tête.

– Ne t'inquiète pas, Gaby. Ne bouge pas, attends-moi, OK ?

– OK.

– Elle va bien ? a chuchoté Winter.

J'ai hoché la tête à nouveau en souriant.

– Elle s'en est tirée. J'ignore par quel miracle elle a survécu à cette chute !

– C'est fantastique, Cal !

Winter m'a serré dans ses bras. Et je n'ai plus senti ni le froid ni la peur.

À cet instant, ma petite sœur s'est extraite à quatre pattes de sa cachette et nous a fixés, les yeux agrandis par la stupeur. Le visage blême, elle semblait sur le point de pleurer.

– Qui c'est ? m'a-t-elle demandé dans un murmure. De quoi elle parle ?

– Ne t'inquiète pas, Gaby, l'ai-je rassurée en l'étreignant contre ma poitrine. Winter est notre amie. Elle est là pour nous aider.

04:21

Installés tous les cinq autour d'un feu de camp, nous nous sommes réchauffés tandis que nos vêtements séchaient sur des branches, à côté de la voiture de Nelson Sharkey. Boris avait rapporté mon sac à dos pour que j'y prenne des vêtements secs.

Sharkey se remettait de ses blessures. Boris l'avait bien soigné. Tous deux m'ont appris que les ravisseurs étaient partis depuis longtemps.

– Pourquoi se seraient-ils attardés par ici puisqu'ils ne pouvaient rien obtenir de plus ? a fait remarquer Sharkey.

Au-dessus de nous, dans les arbres, les oiseaux ont entamé leur chœur de trilles annonciateur de l'aube.

Malgré le manque de sommeil et la sensation d'être en mille morceaux, j'ai eu envie de chanter avec eux. Gaby était saine et sauve, à mes côtés. Mes amis étaient là eux aussi. Et Winter s'était jetée dans la rivière en crue pour me sauver.

Devant nous, le feu rougeoyait.

Le blouson en cuir de Sharkey enveloppait à présent Gaby, pelotonnée entre Boris et moi. Elle dormait. Boris en a profité pour me raconter ce qui s'était passé après mon plongeon.

– Dès que tu as sauté, un des truands s'est attaqué à Sharkey. Quant à l'autre – celui qui avait précipité Gaby du haut du pont – il a foncé vers leur véhicule. Je n'ai pas eu le temps de dire ouf que Winter avait plongé à ta suite sans réfléchir au danger. Alors, j'ai hurlé que les flics arrivaient et les deux types ont décampé en vitesse.

– Ce qui a permis à Boris de me secourir, a continué Sharkey en désignant son avant-bras bandé. Je crois que mon artère radiale a souffert dans la bagarre. Ce type avait un couteau. Et j'avoue que je ne m'étais pas battu au corps à corps depuis longtemps.

– On les a vus filer, a repris Boris. À mon avis, ils n'avaient pas l'intention de moisir ici. Puisqu'ils avaient obtenu ce qu'ils voulaient, tu ne les intéressais plus. Ta petite sœur pas davantage. D'ailleurs, ils croient sans doute être débarrassés de toi, mon pote.

– Même pas en rêve !

Boris a caressé doucement les cheveux de Gaby qui s'est retournée dans son sommeil et blottie sur ses genoux.

Sharkey s'est adressé à moi sur un ton extrêmement solennel :

– J'imagine à quel point tu es heureux de retrouver ta sœur. Profites-en vite, Cal. Je regrette, mais on va devoir alerter les autorités. Elle a besoin d'être examinée par des médecins. De plus, il faut avertir ta mère et ton oncle qu'elle est saine et sauve.

J'ai hoché la tête, tristement.

– Elle est épuisée, la pauvre, a constaté Boris.

– Non, a protesté une petite voix étouffée.

Gaby a soulevé la tête.

– J'ai l'impression d'avoir dormi pendant des jours et des jours.

Elle s'est frotté les yeux puis nous a dévisagés tour à tour.

– Qui avait un couteau? Pourquoi je peux pas rester avec vous?

Son visage pâle s'est crispé. Je devinais qu'elle se retenait pour ne pas pleurer. Ses yeux allaient de Boris à moi, puis ils se sont arrêtés sur mon ami. Elle l'a observé fixement avant de tendre une main vers son crâne :

– Ils sont où, tes cheveux?

04:42

Je connaissais assez ma sœur pour comprendre qu'elle s'efforçait de se montrer courageuse. Je l'ai serrée contre moi. J'allais devoir lui expliquer la situation. Mais comment m'y prendre?

Du coin de l'œil, j'ai aperçu Winter qui faisait signe à Sharkey et Boris de s'éloigner pour nous laisser seuls, Gaby et moi. Ils se sont installés un peu plus loin, tous les trois, et ont entamé une discussion à voix basse.

– J'aimerais savoir de quoi tu te souviens, Gaby. Par exemple, commence par me raconter ce qui t'est arrivé ce soir.

– J'étais dans l'eau et j'avais froid. Je suis désolée, je ne sais plus comment je me suis retrouvée dans la rivière.

– Ce n'est pas grave, rassure-toi.

– Je croyais que je rêvais. J'étais ballottée dans des remous, au bord de la baie des Lames. J'avais très peur. Quelque chose m'empêchait de bouger. Mes idées étaient embrouillées. Puis je me suis aperçue qu'il faisait nuit et que je n'étais pas sur la plage. Ce n'était pas un rêve, c'était pour de vrai. De l'eau coulait sur moi !

– Tout va bien. Tu es en sécurité maintenant. Continue.

– J'étais coincée dans un sac. J'avais du mal à respirer. Quand j'ai réussi à me dégager, je me suis cognée contre un tronc d'arbre. Alors je me suis débattue et j'ai essayé de bien nager. J'ai pu monter sur le bord en m'accrochant aux branches. J'avais vraiment peur, Cal. Il faisait noir, j'étais trempée, je ne savais pas où j'étais. J'ai crié, mais personne ne m'a répondu. Comme j'ai repéré des lumières, je suis allée vers elles. C'était très bizarre. Je tombais tout le temps, parce que j'avais les jambes engourdies. Elles tremblaient et me picotaient, j'avais l'impression qu'elles étaient pleines d'aiguilles ! Je marchais comme un bébé. Et puis tout à coup, je t'ai vu !

Arrivée au terme de son récit, Gaby a soudain relâché toute la tension accumulée au cours des heures passées. J'ai senti son corps secoué par les sanglots et j'ai resserré mon étreinte autour d'elle.

41

Quand elle a relevé vers moi son visage maculé de larmes, elle a gémi :

– Je croyais que tu étais mort, Cal. Tu ne bougeais pas. Tu avais la peau glacée. J'essayais de te réveiller mais tu ne répondais pas !

– C'est fini à présent, je suis là, avec toi.

J'ai hésité à poursuivre. Et décidé de lui révéler la vérité, si horrible soit-elle. Après ce qu'elle avait subi, elle méritait de savoir.

– Gaby, ai-je repris d'une voix douce, est-ce que tu as des souvenirs de ce qui s'est produit avant que tu tombes dans la rivière ? À la maison, ou à l'école ?

– Ben oui, je me souviens de tout ! Je dois entrer au CE2 avec miss McCormack[1]. Et papa est mort l'année dernière. Pourquoi tu me demandes ça ?

Comment lui annoncer que nous n'étions plus en janvier et qu'elle venait de passer plusieurs mois dans le coma ?

– Pour rien. Dis-moi si tu te souviens d'autre chose. Après, je t'expliquerai. D'accord ?

– Je sais pas quoi te dire !

– Prends ton temps. Réfléchis. La mémoire va peut-être te revenir.

Elle a respiré profondément.

---

1. En Australie, comme dans tout l'hémisphère Sud, les saisons sont inversées. Les grandes vacances d'été tombent en décembre et janvier.

Elle me paraissait de plus en plus agitée et effrayée au fur et à mesure que des bribes de souvenirs refaisaient surface.

– Je me rappelle! s'est-elle écriée avant de se lancer dans un flot d'explications. J'étais en haut, je jouais dans ma chambre quand j'ai entendu du bruit au rez-de-chaussée. D'abord, j'ai cru que c'était toi. Je t'ai appelé. J'ai appelé oncle Ralf aussi. Mais personne n'a répondu. Comme maman était partie faire des courses, j'étais sûre que c'était pas elle. Puis j'ai entendu des voix. J'ai eu très peur. J'ai cru que c'étaient les voleurs, ceux qui sont venus la semaine dernière.

– La semaine dernière?

– Oui, ou celle d'avant, je sais plus. J'ai pensé qu'ils revenaient.

La semaine dernière ou celle d'avant? Le cambriolage remontait au mois de janvier!

– J'avais la frousse, a continué Gaby. Je voulais téléphoner à la police. À ce moment, les voix se sont mises à crier. Je savais pas quoi faire! J'ai voulu me cacher dans la penderie quand *bam*! Quelqu'un m'a assommée par-derrière. Quand ça arrive dans les dessins animés, on voit des étoiles. Moi, j'ai rien vu.

Une bouffée de colère m'a submergé.

– Juste après, a repris Gaby, j'ai cru que je nageais dans la baie des Lames... sauf que j'étais tombée dans cette rivière.

À la lueur vacillante des flammes, je distinguais le visage apeuré et déconcerté de Gaby. Elle n'avait aucune conscience des huit derniers mois ! Elle était passée en un clin d'œil de cet après-midi de janvier – où elle avait été agressée et où je l'avais découverte inconsciente – à aujourd'hui.

J'ai aussitôt réalisé que ma sœur ne pourrait pas m'aider à prouver mon innocence.

– Pourquoi tu me regardes comme ça, Cal ?

– Gaby, les policiers croient que c'est moi qui t'ai attaquée.

– Toi ?! Mais c'est débile !

– Maman a affirmé que tu criais mon nom quand l'ambulance est arrivée.

– J'avais sûrement peur que les voleurs te fassent du mal, à toi aussi. Je voulais te prévenir ! Je crois que c'est toi qu'ils cherchaient.

– Moi ? Qu'est-ce qui te fait dire ça ?

– J'en sais rien. Je me rappelle pas !

Gaby a secoué la tête, frustrée de ne pas mieux se souvenir des événements de cet après-midi-là.

– Ils ne m'ont pas attrapé, Gaby. Et... ton agression ne s'est pas déroulée hier. Elle a eu lieu bien avant. Il y a longtemps.

– Longtemps ?

– Tu es restée inconsciente, dans le coma, à cause de ta blessure à la tête.

SEPTEMBRE

Instinctivement, Gaby a porté la main à l'arrière de son crâne.

– Mais je n'ai même pas de bosse !

– Parce que huit mois se sont pratiquement écoulés depuis qu'on t'a assommée...

– Quoi ? Combien ? Huit mois ?

– Regarde, ai-je indiqué en lui désignant, sur l'écran de mon portable, la date du jour.

Elle a lu lentement, à haute voix :

– 1er septembre ? C'est impossible ! Je suis montée dans ma chambre en janvier et je me réveille dans une rivière huit mois après ? Ma copine Ashley ne me croira jamais.

Les yeux emplis de larmes, elle m'a saisi le bras.

– En plus ça veut dire que j'ai manqué presque une année d'école ! Je vais devoir redoubler !

– Ne t'inquiète pas. Tu rattraperas vite ton retard. Tu es une élève brillante, tu te rappelles ? ai-je plaisanté. Peut-être aussi que d'autres souvenirs te reviendront bientôt, l'endroit où tu étais, par exemple, et les gens qui s'occupaient de toi.

05:36

Il a fallu un long moment à Gaby avant de comprendre mes explications. Je ne voulais pas la paniquer, j'ai donc soigneusement choisi mes mots pour l'informer des changements qui

45

s'étaient produits au sein de notre famille et pour évoquer ma vie de fugitif. Je lui ai annoncé que maman habitait désormais chez oncle Ralf – sans entrer dans les détails de leur relation –, que tous les deux seraient très soulagés de la savoir hors de danger et heureux de la retrouver bientôt.

Je me suis gardé d'ajouter que, persuadés qu'elle ne se réveillerait jamais, ils avaient failli autoriser les médecins à débrancher son respirateur artificiel.

L'aube pointait déjà à l'est, au-dessus des montagnes. Le temps pressait. Alors je lui ai raconté ma propre version de l'histoire : pourquoi j'avais choisi de devenir un fugitif dans l'espoir de percer le mystère découvert par notre père. Gaby m'a écouté en silence. Elle n'en croyait pas ses oreilles.

– Il existe un grand secret attaché à notre famille, lui ai-je expliqué. Il concerne le fils aîné de chaque génération.

– Comme toi.

– Oui, comme moi. Et je dois décrypter ce secret. L'entreprise est très risquée, les enjeux de cette découverte sont d'une importance capitale. Boris et Winter m'aident tous les deux. Nelson Sharkey aussi. C'est un ancien inspecteur de police qui croit à mon innocence.

J'ai refermé mon bras autour des épaules de ma petite sœur.

– Surtout garde pour toi ce que je viens de te révéler. D'accord ? Je regrette, tu ne devras raconter à personne – pas même à maman et à Ralf – que tu m'as vu.

– Mais tu m'as sauvé la vie !

– Gaby, ai-je repris d'un ton solennel. Promets-moi que tu ne diras rien.

– À cause de la police ?

– Exactement. Si on m'arrête, je n'aurai plus aucune chance de prouver mon innocence ou d'élucider le Dangereux Mystère des Ormond. Tout le monde ignore où je suis. Tu dois faire semblant de l'ignorer, toi aussi. Promis ?

– Croix de bois, croix de fer, si je mens je vais en enfer ! Jamais je ne te dénoncerai, Cal. Je le jure.

Nous avons scellé ce pacte en nous frappant la paume de la main.

– Je sais. Merci, Gaby.

Quand je lui ai expliqué comment Winter m'avait sauvé la vie en février, Gaby l'a dévisagée avec des yeux ronds.

Winter lui a adressé un de ses rares sourires, auquel ma sœur a répondu par une grimace timide.

Puis, son regard plongé dans le mien, Gaby a déclaré lentement :

– Des souvenirs me reviennent par petits bouts. J'ai fait des rêves bizarres. Des cauchemars, même.

– Raconte-nous.

Boris, Winter et Sharkey se sont rapprochés du feu pour l'écouter attentivement.

– Il y avait une femme horrible, avec un chignon roux et des lunettes de soleil violettes.

Des cheveux roux. Des lunettes de soleil violettes. Mon sang n'a fait qu'un tour. L'espace d'un instant, Gaby avait dû reprendre connaissance et apercevoir Oriana de Witt ! L'avocate était donc bien l'instigatrice de l'enlèvement ! Détenir l'Énigme et le Joyau Ormond ne lui avait pas suffi.

– Tu sais, Gaby, à mon avis ce n'était pas un cauchemar mais la réalité. Cette femme rousse existe. Tu peux m'en dire davantage sur elle ?

Gaby a secoué la tête.

– Pas vraiment. J'ai l'impression qu'elle était le chef. C'est forcément un rêve puisqu'il y avait aussi oncle Ralf, qui me protégeait.

Ce détail m'a intrigué.

– Oui, c'est bizarre...

06:21

J'ai promis à Gaby que je ne mettrais pas longtemps à prouver mon innocence et que je rentrerais bientôt à la maison.

– Je vais t'aider, a-t-elle déclaré sur un ton solennel. Même si je ne dois rien révéler à personne, je t'aiderai.

– Bien sûr, a affirmé Winter en se penchant pour prendre la main de ma petite sœur.

– Gaby, quand tu auras retrouvé tes forces, que dirais-tu de jouer les espionnes pour moi ?

– D'accord, Cal ! s'est-elle exclamée avec un grand sourire.

– Désolé de vous interrompre, mais il est temps de lever le camp, a annoncé Nelson Sharkey en réajustant le bandage autour de son bras. Ce bobo ne m'empêchera pas de conduire.

– Comment procède-t-on ? a demandé Boris. Il faut laisser Gaby en lieu sûr.

Ma sœur lui a jeté un regard inquiet, en se mordant la lèvre inférieure.

– Il y a un commissariat de police à une quarantaine de kilomètres de Billabong, a observé Sharkey. Ouvert vingt-quatre heures sur vingt-quatre. Je suggère qu'on dépose Gaby à proximité. Pas question de s'approcher avec la voiture, je n'ai aucune envie d'être identifié et lié à cette affaire.

– Si vous vous arrêtez à quelques pâtés de maisons, je continuerai à pied avec elle, a proposé Winter. Je n'irai pas jusqu'à l'entrée du commissariat, mais le plus près possible. Ensuite, je vous rejoindrai sur la route.

– Bonne idée, Winter, a approuvé Sharkey.

Il s'est tourné vers Gaby qui paraissait de plus en plus apeurée.

– Rassure-toi, ma puce, tu seras sous bonne garde. Les policiers s'occuperont bien de toi et feront venir ta maman et ton oncle en quelques minutes. Ils te demanderont aussi comment tu es arrivée là. Tu n'auras qu'à leur raconter qu'un inconnu t'a déposée.

– C'est pas un vrai mensonge, a déclaré Gaby. Je ne vous connaissais pas, avant. Mais je vous trouve drôlement gentils, Winter et vous.

Puis elle a levé les yeux vers moi. Sa lèvre inférieure s'est mise à trembler.

– Cal, tu es sûr que tu ne veux pas rentrer à la maison avec moi ? Tu es mon frère ! Je dirai que tu ne m'as pas assommée. On leur expliquera tout. Maman sera bien obligée de nous croire !

Si seulement ma petite sœur pouvait avoir raison.

– Gaby, la situation est trop compliquée, me suis-je excusé. La police refuse de me croire. Même maman...

Gaby a éclaté en sanglots. Je l'ai prise dans mes bras.

– Hé, sèche tes larmes, ne t'en fais pas pour moi. Un jour – bientôt – on sera tous réunis à nouveau. Seulement pour l'instant, je dois éviter de me montrer. J'ai une mission à remplir. En cachette. Percer le secret de notre famille pour récupérer ce qui nous appartient. Ne t'inquiète pas, d'accord ? Maintenant, on va te raccompagner. Ne révèle pas que tu m'as vu ici, c'est tout.

Boris a hoché vigoureusement la tête :

– Il a raison, Gaby. Et ne leur parle pas non plus de moi, s'il te plaît. Je te rendrai visite quand tu seras chez Ralf, mais tu devras faire semblant de me revoir pour la première fois depuis le mois de janvier, OK ?

– OK. Je dirai rien aux policiers. Promis. Je raconterai juste que je me suis réveillée dans la rivière, que le courant m'a poussée sur la berge et que quelqu'un m'a trouvée. Rien d'autre.

07:00

– Allez, Gaby, il est temps de partir. On se reverra bientôt.

J'ai relâché mon étreinte après l'avoir serrée contre moi de toutes mes forces. Nous étions à l'arrière de la voiture de Nelson Sharkey, garée dans un endroit isolé, à bonne distance du commissariat de police.

Ma sœur a pris la main de Winter et toutes deux sont descendues. En refermant lentement la portière, Winter a lancé :

– À tout de suite.

Gaby s'est retournée pour nous jeter un dernier regard comme pour s'armer de courage. Nous avons agité la main sans la quitter des yeux.

Au bout de quelques mètres, elle a lâché Winter et fait demi-tour en courant, mon amie sur ses talons.

– Pourquoi est-ce que je porte la bague celtique ? m'a demandé Gaby. Je te l'avais donnée. Juste après que tu avais failli te noyer dans la baie des Lames. Quand on était dans la maison de la plage.

– C'est vrai. Tu me l'as donnée, mais le jour où je suis allé te voir à l'hôpital, je l'ai glissée à ton doigt pour que tu saches que j'étais à tes côtés.

– Tu es venu alors que tout le monde te cherchait ?

– Oui. Et je n'hésiterai pas à recommencer. Je te rendrai visite chez Ralf, promis.

– Ce n'est pas dangereux pour toi ?

– Je trouverai un moyen sûr. D'accord ? Maintenant, file retrouver maman.

– Viens Gaby, a lancé Winter en lui reprenant la main.

– Attends ! s'est exclamée ma sœur.

Elle a ôté la bague de son doigt.

– Garde-la. Elle m'a protégée. À présent, c'est toi qui en as besoin.

Elle m'a tendu le bijou en argent que j'ai enfilé à mon auriculaire. Ses entrelacs me rappelaient le symbole de l'infini.

SEPTEMBRE

– Merci, Gaby. Quand je rentrerai pour de bon à la maison, je te la rendrai. À bientôt, ai-je murmuré en faisant tourner la bague autour de mon doigt.

08:54

Nous roulions de nouveau sur la route principale, après avoir retrouvé Winter. Nelson a décrété que nous ne risquions rien à faire une rapide pause à proximité d'une aire de pique-nique, dans le bush[1].

– Rendez-vous ici dans cinq minutes, a-t-il lancé tandis que Boris, Winter et moi partions nous dégourdir les jambes dans des directions différentes.

Au loin, j'ai repéré une famille avec de jeunes enfants qui jouaient à l'ombre des arbres à thé, en bordure du lagon.

La vue de ces arbres m'a rappelé les petits bateaux que mon père fabriquait à notre intention quand nous allions nous balader autour des mares de Richmond Park. Il découpait les coques dans les bandes d'écorce les plus épaisses et, dans les plus minces, des voiles qu'il fixait ensuite sur une brindille de saule.

1. Formation végétale des pays secs comme l'Australie, constituée de buissons serrés, de petits arbustes et d'arbres bas isolés.

J'ai pensé à la surprise des policiers quand ils découvriraient Gaby à la porte de leur commissariat. J'ai aussi songé au bonheur de ma mère lorsqu'elle apprendrait que sa fille était vivante, et définitivement sortie du coma.

Nous étions au début du mois de septembre. Il me restait à peine quatre mois pour résoudre le mystère de la Singularité Ormond avant qu'elle n'expire. Ou, si j'en croyais les paroles du fou, avant que moi, je n'expire! Avant le 31 décembre, je devais avoir récupéré l'Énigme, le Joyau, et trouvé le moyen de me rendre en Irlande tout en échappant aux griffes des policiers, de Vulkan Sligo et d'Oriana de Witt. Mission impossible... Pourtant, mon seul espoir de réunir les pièces manquantes du puzzle résidait désormais dans ce voyage en Irlande.

Le regard perdu dans le vague, je me sentais écrasé par l'énormité de la tâche. Par où commencer?

Dans un arbre voisin, une pie jacassait de plus en plus fort. J'ai levé la tête, m'abritant les yeux de la lumière éblouissante du soleil.

Un dixième de seconde plus tard, le volatile noir et blanc m'attaquait, m'obligeant à plonger au sol pour l'éviter. Il avait dû être attiré par le reflet du soleil sur ma bague celtique.

Il m'a frôlé puis s'est perché sur la branche d'un saule à moitié immergé dans le lagon.

Se pouvait-il... ?

Non. Impossible.

J'ai plissé les paupières.

– C'est toi, Baron Noir ?

Au son de ma voix, la pie s'est calmée et envolée vers une branche plus basse d'où elle m'a observé. Je l'ai détaillée, moi aussi. J'ai reconnu les mouchetures noires caractéristiques de sa collerette blanche et la tache claire au-dessus de son œil droit. Il s'agissait bien du Baron Noir, le compagnon à plumes de mon regretté grand-oncle Bartholomé.

– Tu es très loin de chez toi, Baron Noir. Que se passe-t-il ?

– Ark tchak-tchak, m'a-t-il lancé en guise de réponse.

D'un vol léger, il est descendu se poser sur le sol à quelques pas de moi. Il s'est alors mis à gratter la terre, donnant des coups de bec çà et là, sans cesser de scruter les alentours.

J'étais heureux de le revoir. Tout en le contemplant, j'ai repensé à la puce électronique qu'il avait avalée, à l'habileté avec laquelle il avait entraîné Sumo et Kevin sur une fausse piste, dans le bush.

Une idée a germé dans mon esprit. Une idée qui, je l'espérais, nous permettrait de déterminer le lieu où mes ennemis avaient dissimulé l'Énigme et le Joyau.

4 septembre
J –119

18:00

Boris m'avait donné le feu vert pour que je m'installe une fois de plus dans la grande villa du bord de mer, jusqu'à nouvel ordre. J'étais décidé à en profiter le temps que cela durerait. J'avais des difficultés à croire qu'il existait des gens assez riches pour posséder une demeure aussi époustouflante sans même y habiter.

Winter et Boris avaient choisi de faire profil bas pendant quelques jours afin de dissiper les soupçons de leur entourage car, ces dernières semaines, leurs absences mystérieuses s'étaient répétées sans qu'ils parviennent à fournir d'explication crédible. Du coup, je me retrouvais seul face à moi-même.

Savoir Gaby à la maison – enfin, chez Ralf –, vivante et en bonne santé, m'ôtait un poids énorme des épaules. J'avais presque le sentiment de pouvoir me détendre. Du moins jusqu'à ce que Boris et Winter reviennent travailler avec moi sur le DMO.

J'avais mis au point le plan qui me permettrait d'obtenir des informations de la part d'Oriana de Witt. Toutefois, j'avais besoin d'évaluer avec Boris nos chances de réussite.

Plutôt que dé tourner en rond, je me suis rendu dans la salle de projection de la villa afin de poursuivre l'exploration de la vaste collection de films des propriétaires...

8 septembre
J –115

23:20

📱 1 chans 2 se revoir bi1to? G Dja vu la ½ D DVD. JV 2venir d1gue!

📱 T clostro lol? Jcompren. G pl1 2 boulo. W é moi libres le 12. RV chez L?

📱 OK. Kèl heur?

📱 16h.

📱 OK. Tu te souvi1 2 ta Krabine à R comprimé? On s'en serV pr projeT D ptt solda en plastik.

📱 Oui. L doa être kekpar. Pk?

📱 Texplikerè chez W. Tu peu lapporT ?

📱 OK... JV men OQP. C pas pour tuÉ qqn jSpR ?

📱 Non, t1kièt ! G beso1 dotre choz.

📱 D cartouch lol ?

📱 A A ! Non. Du + ptt systM découte ke tu peu trouV.

9 septembre
J –114

Maison d'Oriana de Witt

20:54

Caché dans la rue, j'épiais le domicile d'Oriana de Witt, en quête de l'emplacement idéal pour mettre mon plan à exécution. Depuis ma dernière intrusion, lorsque je guettais des signes de la présence de Gaby, l'avocate avait sérieusement renforcé le système de sécurité de sa demeure. Elle avait fait installer des caméras de surveillance, et une impressionnante grille en fer munie d'une serrure électronique fermait l'allée. Quant à la porte d'entrée, elle avait été remplacée par une nouvelle, blindée.

J'ai envisagé, puis rejeté, un certain nombre de possibilités avant de remarquer les repousses sur le tronc du pin d'où j'avais pris des photos quelques mois plus tôt. De chaque branche élaguée jaillissaient des touffes d'aiguilles vertes qui m'assureraient un camouflage plus efficace qu'au cours de ma première escalade.

J'aurais intérêt à agir de nuit, même si l'obscurité présentait un inconvénient : pour la phase décisive de mon plan, il me fallait disposer d'une bonne visibilité.

12 septembre
J –111

16:04

Quand je suis arrivé en vue de l'immeuble, je mourais de faim et j'avais la tête qui commençait à tourner. Je me suis faufilé discrètement à l'arrière du bâtiment jusqu'à l'escalier de secours.

Une fois parvenu à la porte, une délicieuse odeur m'a chatouillé les narines.

Winter m'a accueilli, la tête enveloppée d'une serviette de toilette blanche ; elle venait sans doute de se laver les cheveux. Elle portait un pull rayé gris et blanc sur un jean sombre. Son visage rayonnait. J'ai failli lui dire que je la trouvais très jolie.

À la place, je me suis exclamé :

— Mmmm, ça sent bon !

— J'ai préparé des lasagnes.

— J'adore !

— Attends de les avoir goûtées avant de t'extasier. C'est la première fois que j'en fais.

— Je suis certain que si c'est toi qui les as cuisinées, elles seront irrésistibles.

— Assieds-toi, Cal. Comment tu trouves mon nouveau bureau ? a-t-elle demandé en désignant un meuble d'un blanc immaculé aux pieds incurvés et sculptés. Sligo l'a fait monter par un de ses sbires.

— Qui ça ? Pas Gilet Rouge, quand même ?

Je craignais que ce truand soit toujours à mes trousses.

— Non, pas Bruno. Max. Tu sais, le dingue de voitures dont j'ai détourné l'attention pendant que Dep et toi forciez le coffre-fort de Sligo ? Bruno est en prison depuis la fusillade de Radcliffe. À présent, c'est surtout sur Max que Sligo compte.

— Il y a quelqu'un ? a crié la voix chantante de Boris, depuis la terrasse.

Winter a couru ouvrir en ôtant la serviette qui lui couvrait la tête. Ses cheveux étaient plus longs que dans mon souvenir. Ils lui descendaient presque jusqu'à la taille.

— Salut ! a-t-elle lancé à Boris.

– J'arrive à temps, on dirait ?

– Juste à point ! ai-je confirmé. Dépêche-toi, je meurs de faim.

Boris m'a assené une tape sur les épaules avant de s'installer en face de moi. Il a posé un grand sac de marin par terre.

– Ça sent drôlement bon ! a-t-il déclaré.

– J'espère que la saveur sera à la hauteur de l'odeur, a répliqué Winter en sortant le plat du four.

Boris a planté sa fourchette dans l'énorme part de lasagnes fumantes qui venait d'atterrir sur son assiette, et annoncé :

– Il faut que je te dise un truc, Cal.

Puis, la bouche pleine, il a ajouté :

– Bravo Winter, elles sont d'enfer !

Le visage de Winter rayonnait de plaisir.

– Absolument succulentes, ai-je renchéri avant de reporter mon attention sur Boris.

J'avais hâte d'entendre ce qu'il avait à m'apprendre.

– Hier, je suis allé chez Ralf et j'ai parlé à Gaby. Elle a meilleure mine, elle récupère vite... C'est super de la retrouver comme avant.

– Content de le savoir, mais tu souhaitais aussi m'annoncer une mauvaise nouvelle, je me trompe ?

Le ton de sa voix m'avait alarmé.

Il s'est gratté la tête – un geste habituel chez lui, mais qui ne produisait plus du tout le même effet depuis qu'il s'était débarrassé de ses longues boucles noires.

– Les médias se sont jetés comme des vautours sur l'histoire de Gaby. Les paparazzis font le siège de la maison de Ralf vingt-quatre heures sur vingt-quatre. J'ai parlé à ta mère. Elle est heureuse du retour de Gaby, seulement...

– Seulement quoi ?

– Écoute, mon vieux, ne le prends pas mal. En fait, ta mère...

– Oui ?

– Gaby l'a remarqué, elle aussi. On la trouve... *changée.*

Boris a cherché ses mots puis haussé les épaules en geste d'impuissance.

– On dirait qu'elle avale des... trucs contre le stress, l'anxiété.

– C'est possible. Je m'en suis rendu compte également. Depuis le début de ce cauchemar, elle a énormément changé. Mais tu réalises toutes les épreuves qu'elle a dû traverser ?

Boris a secoué la tête.

– Tu en as enduré tout autant. Gaby aussi. Pourtant vous êtes toujours les mêmes. Gaby a été affaiblie par ses longs mois de coma, c'est évident, ça ne l'empêche pas de récupérer chaque jour un peu de vitalité. Quant à toi, tu t'es endurci, c'est sûr, toutefois dans le fond, tu es toujours le même Cal. Dans le cas de ta mère, c'est différent. Je la connais depuis que j'ai cinq ans. Jamais je ne l'ai vue dans cet état.

Brusquement, son visage s'est éclairé.

– Tu te rappelles la fois où je me suis vautré avec ton nouveau vélo BMX rouge ? On devait avoir sept ans. Je me suis retrouvé la tête en sang. Ma mère et ma grand-mère étaient complètement affolées, en revanche ta mère est venue me prendre par la main et m'a rassuré en prétendant qu'un simple sparadrap suffirait alors qu'il a fallu recoudre la plaie avec neuf points de suture ! On les distingue encore.

Boris a montré à Winter son front habituellement caché sous son épaisse tignasse.

– La mère de Cal a toujours eu un sang-froid exceptionnel. Même quand elle a perdu son mari, elle est restée aussi solide qu'un roc. Pas vrai ?

J'ai acquiescé.

– Un rocher au milieu des tempêtes, ai-je confirmé.

La tristesse m'a serré le cœur. Cet aspect de la personnalité de ma mère me semblait un lointain souvenir.

Boris a marqué une pause et pris une profonde inspiration. Son expression inquiète m'a ramené à la réalité.

– Je vais te parler sans détours, mec. Je crois qu'elle abuse des cachets. Elle plane complètement. Elle a des réactions incohérentes. Qui est cette femme qui autorise les médecins à débrancher le respirateur artificiel de sa fille et accuse son fils d'être un meurtrier ? Certainement pas la Erin Ormond que j'ai connue toute ma vie.

J'ai réfléchi un moment avant de réagir :

– Tu as raison. Les rares fois où je l'ai vue depuis le début de ma cavale, elle m'a paru... absente. C'est très étrange parce que quand mon père était mourant, et même après sa mort, elle n'a jamais pris de médicaments pour surmonter sa douleur. Elle s'en est sortie uniquement grâce à sa volonté de fer.

Winter a posé sa main sur la mienne.

– Qu'est-ce que Gaby en pense ? ai-je demandé.

Boris a secoué la tête.

– Pas grand-chose. Mais je l'ai sentie perturbée. Elle était au bord des larmes quand je lui ai parlé. Elle voulait savoir si, à mon avis, sa mère était malade. Ralf paraît inquiet, lui aussi. C'est évident à la façon dont il observe ta mère. Peut-être que ce ne sont pas des médicaments qui l'abrutissent à ce point... Peut-être qu'elle...

Sa voix a flanché, mais j'ai deviné ce qu'il sous-entendait.

– Tu crois qu'elle fait une dépression nerveuse ? Ou qu'elle perd la raison ?

– Difficile à dire, Cal. Au moins, Gaby est auprès d'elle maintenant. Ça devrait la réconforter.

– Est-ce que Gaby est réellement hors de danger chez Ralf ? Elle a déjà été kidnappée une fois. Ils ont pensé à renforcer la sécurité ?

– Oui, rassure-toi. Elle ne risque rien. Ralf a installé tout le matériel dernier cri possible et imaginable, depuis les barreaux jusqu'aux alarmes. Il m'a fait faire le tour du propriétaire en m'expliquant tout. Plutôt impressionnant. Il connaît son affaire.

J'étais soulagé de l'apprendre. Même si cela signifiait que j'aurais désormais du fil à retordre pour rendre visite à ma sœur.

Boris a souri à Winter qui venait de soulever le torchon dissimulant le dessert.

– Non, tu as fait un gâteau au chocolat pour moi ! s'est-il écrié.

18:15

L'appartement de Winter commençait à ressembler au commissariat d'une série policière. Nos notes s'étalaient partout, ainsi que les photos d'Irlande et les dessins de mon père, punaisés sur les placards ou calés sur le plan de travail afin que nos regards, où qu'ils se posent, tombent toujours sur un détail à étudier. Le singe au collier et à la balle m'intriguait beaucoup. Je ne parvenais pas à l'associer aux autres pièces du puzzle. Que signifiait-il ?

– Oriana de Witt a donc organisé l'enlèvement de Gaby, a articulé Boris tout en engloutissant une deuxième part de gâteau. Elle avait déjà mis la main sur le Joyau et l'Énigme. Désormais, elle possède aussi les dessins – enfin, c'est ce qu'elle croit.

Boris a lancé un regard admiratif à Winter qui avait eu l'idée de falsifier les croquis de mon père.

– Exact. Elle pense avoir tout récupéré, ai-je confirmé. J'espère qu'elle nous fichera la paix quelque temps. Maintenant que Gaby se trouve à l'abri, notre prochaine étape, c'est de...

Winter a fini la phrase à ma place :

– ... reprendre l'Énigme et le Joyau. La tâche risque d'être ardue. D'après tes descriptions, sa maison semble aussi bien protégée que celle de Ralf. Autant vouloir pénétrer à l'intérieur de Fort Knox[1].

---

1. Camp militaire des États-Unis, situé dans le Kentucky. Il abrite la réserve d'or nationale.

SEPTEMBRE

Nous sommes restés silencieux un long moment. On n'entendait plus que le son étouffé de la circulation, en bas, dans la rue. J'ai constaté que mon cerveau analysait constamment les bruits de fond. Le moindre sifflement s'apparentant à une sirène me rendait nerveux.

Enfin, Boris a extirpé de sa poche une feuille pliée en quatre qu'il m'a tendue.

– En attendant de trouver une solution miracle, lis plutôt ça.

– Qu'est-ce que c'est?

– Un message que j'ai relevé sur ton blog, hier soir.

B L O G	Déconnexion
CAL ORMOND	À : C. Ormond De la part de : T. Brinsley
Écrire à Cal **Laisser un commentaire** **Boîte de réception**	Cher Cal Ormond, Je travaille à la bibliothèque du Trinity College de Dublin, où j'occupe la fonction de « conservateur des livres rares ». Votre histoire est devenue célèbre pour de mauvaises raisons mais, vu ma position, j'en sais plus long que quiconque sur votre situation délicate. Il m'est donc aisé de croire à votre innocence.

Je comprends la puissance de la fascination exercée par la Singularité Ormond, ainsi que les motifs pour lesquels elle excite la convoitise de criminels. La malchance a voulu que vous vous retrouviez prisonnier de cet écheveau ô combien complexe.

Je possède certaines informations sur l'Énigme Ormond dont j'aimerais vous entretenir. Je suis certain que l'absence des deux derniers vers ne vous a pas échappé. Si vous pouviez apporter le manuscrit original en Irlande, ce serait l'idéal. Cependant, je me doute que ce déplacement risque d'être délicat voire impossible, étant donné les circonstances actuelles.

Si jamais vous réussissiez à entreprendre ce voyage, je vous saurais gré de m'en avertir. J'ai toujours porté un vif intérêt à la famille Ormond et à ses secrets. Ma mère est née Butler, à Carrick-on-Suir.

Cordialement,

Pr Theophile Brinsley

Les deux vers manquants ! Ils se trouveraient en Irlande ?

L'excitation me gagnait.

– Renseignons-nous sur ce Theophile Brinsley, ai-je suggéré. Vérifions qu'il travaille réellement à Trinity College comme conservateur des livres rares. S'il dit la vérité, nous tenons une piste extraordinaire ! Peut-être que mon père l'a rencontré lors de son voyage en Irlande ?

– Tu devrais rappeler Erik Blair, m'a conseillé Boris. Il était prêt à discuter avec toi, non ? Il est possible qu'il le connaisse.

– Il faut aller en Irlande, a déclaré Winter sur le ton de l'évidence.

Boris l'a regardée, un peu surpris.

– Ça risque d'être difficile.

– Bien sûr, mais je suis sérieuse. Il le faut. C'est dans ce pays que tout a commencé. Nous devons d'abord récupérer l'Énigme et le Joyau, puis nous rendre en Irlande.

– Je suis entièrement d'accord avec toi, l'ai-je approuvée. C'est là-bas que mon père a découvert l'incroyable secret lié à notre famille. Et là-bas que ses recherches se sont interrompues, lorsqu'il est tombé malade et a dû tout abandonner pour rentrer en Australie.

– Ton père y a aussi pris les photos contenues sur la clé USB, a ajouté Winter.

J'ai acquiescé.

– On n'a pas le choix. L'Irlande est notre dernier espoir. Boris, je partage l'avis de Winter.

– OK, Cal, mais réfléchis un peu. Comment aller en Irlande ? Nul besoin de te rappeler que tu es un criminel recherché par la police. Tu ne possèdes pas de passeport, moi non plus d'ailleurs. De toute façon, même si tu en avais un, tu te ferais repérer et arrêter en moins de cinq minutes. Tu es forcément fiché dans tous les aéroports du pays. Et où dénicher les quelques centaines de dollars que coûtera le voyage ?

– Tu as raison, ai-je admis. Pour l'instant, c'est impossible. Toutefois ça ne nous empêche pas de nous tenir prêts. Nelson Sharkey aura peut-être des suggestions à nous soumettre.

– Récupérer l'Énigme et le Joyau devient plus que jamais la priorité, est intervenue Winter.

– J'ai un plan qui, je l'espère, va nous mener à eux.

– Ton plan aurait-il quelque chose à voir avec ça ? a demandé Boris en fouillant dans son sac de marin.

Il en a sorti un petit objet sous blister qu'il a posé avec précaution sur la table.

– Je n'ai pu m'en offrir qu'un seul. Il s'agit d'un nouveau modèle entièrement miniaturisé. Le dernier cri en matière de nanotechnologie ! Toutes mes économies y sont passées, mec.

– Incroyable, me suis-je exclamé en observant le minuscule objet rond. Merci, Boris. Ça me rappelle la puce qu'Oriana de Witt m'a implantée dans l'épaule.

– Alors, Cal ? Quel est ton plan ? Arrête de nous faire languir, s'est impatientée Winter tout en relevant ses cheveux en chignon.

J'ai souri car Boris continuait son explication enflammée :

– Voilà un micro émetteur miniature, réglé sur une fréquence particulière, autour de 32-33 mégahertz. Tout ce qu'il nous faut, c'est un récepteur FM réglé sur cette longueur d'onde pour capter ce que ce petit monstre émettra.

– Et on entendra ? s'est étonnée Winter. Comme si on écoutait la radio ?

– Exact. Le seul problème, c'est que la durée de fonctionnement est limitée.

– Limitée à combien ?

– Dix à douze heures.

– Pourtant, avec son émetteur, Oriana de Witt m'a suivi à la trace pendant des mois.

– Ce dispositif est complètement différent. Il possède un micro incorporé. La puce électronique implantée dans ton épaule envoyait un simple signal qui consommait très peu d'énergie. Pas plus que la pile de ta montre. Cet émetteur-là est beaucoup plus exigeant.

– Si je comprends bien, vous allez mettre Oriana de Witt sur écoute? a demandé Winter.

Boris et moi avons hoché la tête d'un même mouvement.

– Si on surprend ses conversations, je suis sûr qu'on apprendra où elle cache l'Énigme et le Joyau.

– Pour capter le son dans de bonnes conditions, il ne faudra pas se poster trop loin, a précisé Boris. À moins de cinq cents mètres de l'endroit où tu auras planqué le micro.

Winter semblait sceptique.

– Et comment comptes-tu l'introduire chez Oriana de Witt?

– Le Baron Noir m'a donné une idée.

– Tu vas t'envoler et passer par la fenêtre de l'avocate? s'est moquée Winter.

– Pas loin, ai-je répliqué en désignant le sac de marin.

Comme s'il avait attendu mon signal, Boris l'a ouvert pour en sortir la carabine à air comprimé.

– Tu vas projeter l'émetteur dans la maison d'Oriana de Witt grâce à cette carabine! s'est exclamée Winter.

– Parfaitement. Boris, pourras-tu fixer l'émetteur sur un objet qu'on introduira dans le canon?

– Bien sûr, sans problème.

– Tu n'auras droit qu'à une seule chance, s'est inquiétée Winter. Il faudra viser juste.

Nous nous sommes dévisagés en silence, puis Boris a tranché :

– Ton plan est vraiment délirant, mon pote. Je n'aurais jamais imaginé un truc pareil ! Pourtant j'y crois et je vais mettre mon intelligence supérieure à contribution pour fabriquer un porte-émetteur.

– Il te reste assez de neurones, maintenant que tu as le crâne rasé ? a blagué Winter. Souviens-toi de Samson ! Il a perdu toutes ses forces quand on lui a coupé les cheveux.

– Oui, et c'est Dalila qui l'a trahi !

– Elle avait sûrement ses raisons, a rétorqué Winter.

Je me suis hâté d'interrompre leur échange, qui risquait de dégénérer en dispute :

– Vous vous rappelez le grand pin dans lequel j'étais monté le soir où j'ai pris la photo d'Oriana de Witt ? J'y grimperai de nouveau pour me poster juste en face de la fenêtre de son bureau. Avec un peu de chance, je viserai à l'intérieur. En revanche, Boris, il faudra que tu t'arranges pour que le projectile reste collé au mur opposé. Sans attirer l'attention de la propriétaire.

– Je m'en occupe, mec. Je vais créer un porteur qui passera inaperçu, même si on le voit.

– Super. Tu as déjà ton idée ?

– Patience, mec. Tu seras étonné.

CONSPIRATION 365

Boris aimant cultiver le mystère, je n'ai pas insisté. J'ai préféré me concentrer sur la dernière piste à notre disposition.

— Bon, j'envoie un mail au Pr Brinsley.

B L O G	Déconnexion
CAL ORMOND **Écrire à Cal** **Laisser un commentaire** **Boîte de réception**	Professeur, Merci beaucoup pour votre message. Il m'est effectivement impossible de me rendre en Irlande pour le moment. En outre, le parchemin original de l'Énigme ne se trouve plus entre mes mains. Je m'efforce actuellement de le récupérer. Pourriez-vous, s'il vous plaît, me révéler ce que vous savez sur la Singularité et l'Énigme Ormond ? Toute nouvelle information m'apporterait une aide précieuse. Avec mes sincères remerciements, Cal Ormond

15 septembre
J –108

5 Enid Villa
Crystal Beach

`14:10`

Tant que Boris n'avait pas fabriqué le porte-émetteur, j'étais contraint de prendre mon mal en patience. J'étais retourné rôder autour de la maison d'Oriana de Witt pour inspecter les lieux. J'observais de loin les allées et venues pour me faire une idée du rythme des journées de l'avocate, et des mouvements de ses gardes du corps. Ils patrouillaient jour et nuit à intervalles réguliers, presque toujours aux mêmes heures.

De retour à la villa, j'ai décidé d'appeler le collègue de mon père.

– Erik Blair, a-t-il annoncé.

Au son de sa voix, j'ai deviné qu'il avait retrouvé son assurance et se sentait beaucoup mieux.

– Mr Blair, c'est Cal.

Un silence gêné a suivi. Je me suis hâté de le combler.

– La dernière fois que je vous ai téléphoné, vous m'avez affirmé que vous seriez heureux de me parler. Êtes-vous disponible maintenant ?

– Excuse mon silence, Cal. Tu me surprends. Je ne pensais pas que tu me rappellerais, surtout après m'avoir donné un faux numéro.

– Désolé, mon portable était hors d'usage. Je vous supplie de me croire, je n'ai rien à voir avec tous les crimes dont on m'accuse. Je n'ai fait de mal à personne. J'ai été entraîné malgré moi dans une spirale infernale. Je m'efforce simplement de prouver mon innocence et de protéger ma famille.

– Je sais que tu es innocent, Cal.

– C'est vrai ?

Était-il sincère ? Ou était-ce une ruse ? Avait-il prévenu la police que je tenterais sans doute de le joindre à nouveau ?

Il s'est contenté de répondre :

– Oui.

– J'espérais que vous pourriez me renseigner sur le séjour que vous avez effectué avec mon père en Irlande...

Il m'a brusquement coupé la parole.

– Écoute, Cal, je serai ravi de t'aider de mon mieux, seulement c'est impossible pour le moment : je prends l'avion pour Lisbonne où je dois assister à une conférence sur le changement climatique. Je t'appellerai dès mon retour, et on organisera un rendez-vous. Avec la plus grande prudence, évidemment.

– Entendu, je comprends.

Mr Blair n'avait aucune envie d'être le complice d'un criminel recherché par la police. Comment le lui reprocher ?

– Tu es en sécurité ? a-t-il demandé.

Sa sollicitude soudaine m'a touché.

– Oui. Je deviens assez habile pour me rendre invisible.

– Bien. Donne-moi ton numéro de téléphone. Je te contacterai quand je reviendrai du Portugal.

17 septembre
J –106

12 Lesley Street

20:15

Quand Winter a fini par ouvrir sa porte, je me suis aperçu qu'elle avait pleuré.

– Hé! Qu'est-ce qui se passe? ai-je demandé en laissant tomber mon sac à dos par terre.

– Oh, rien, toujours la même chose.

Elle est allée se regarder dans le miroir de la salle de bains d'où elle m'a lancé :

– Pas moyen de pleurer sans que les autres s'en aperçoivent. J'ai tout de suite les yeux rouges et gonflés.

Elle a fait couler de l'eau, s'est aspergé le visage, puis essuyée avec une serviette. Debout sur le seuil, les mains sur les hanches, elle a soupiré d'un air abattu :

– Parfois, j'ai l'impression que je ne découvrirai jamais la vérité sur leur accident.

– Tu veux parler de tes parents ?

Elle a hoché la tête.

– Je sais qu'il est inutile de pleurer. Ça ne m'apportera pas la moindre réponse.

Nous sommes allés nous asseoir sur le canapé.

– Cal, tu peux me rendre un service ?

– Bien sûr. Lequel ?

– Je voudrais que tu m'aides à retrouver la voiture.

21:21

Tête baissée contre le vent froid qui soufflait du nord-ouest, nous avons foncé dans la nuit.

Winter portait le même sweat marron à capuche que la fois où je l'avais vue rôder dans la casse de Vulkan Sligo en février, et confondue avec un garçon. Elle avait rassemblé ses longs cheveux sous sa capuche, et enfilé un jean et des bottes. Manifestement, elle ne souhaitait pas qu'on la reconnaisse.

– Tu crois que Sligo est décidé à t'acheter une voiture ?

Elle s'est mise à rire.

– Non. Max m'a assuré qu'il obtiendrait gain de cause, mais à mon avis, ce n'est pas pour demain. Tu vas devoir marcher encore longtemps.

J'ai poussé un grognement.

– Tu es certain de vouloir m'accompagner ? s'est-elle inquiétée.

– Évidemment ! Je suis là pour toi. Enfin, je... je suis ton ami, ai-je bafouillé. Les amis se soutiennent en toutes circonstances.

Je lui ai pris la main.

Décidément, Winter avait le plus beau sourire du monde.

L'entrepôt

22:11

J'ai frissonné. Je me rappelais la première fois où j'avais mis les pieds ici – mon interrogatoire, puis la terreur que j'avais ressentie alors que la cuve à mazout dans laquelle j'avais été emprisonné se remplissait à toute vitesse.

– Cet endroit me flanque la chair de poule, ai-je murmuré tandis que nous longions la haute clôture grillagée de l'entrepôt, en direction de l'entrée principale. Et je t'avoue que le but de notre exploration m'échappe.

Winter a stoppé net puis m'a entraîné sous un poivrier aux branches pendantes.

– Je veux retrouver la voiture de mes parents.

J'ai froncé les sourcils.

– Mais tu l'as déjà cherchée, non?

– Quand je suis venue ici, l'autre jour, j'ai remarqué qu'on avait déplacé une rangée entière de véhicules. À présent, on a accès aux épaves du fond.

– OK. Étant donné qu'il s'agissait d'un accident mortel, tu ne crois pas que la voiture de tes parents a plutôt été entreposée dans un hangar de la police?

– Si, jusqu'à ce que l'enquête soit close.

– L'enquête? Ça signifie que les causes de l'accident étaient louches?

Pour toute réponse, Winter a haussé les épaules.

– Elle a peut-être été détruite, ai-je repris.

– Écoute, Cal, j'ai besoin de m'en assurer. Si elle ne se trouve pas là, tant pis. Cependant, je me sens attirée ici par une force irrésistible. J'ai un pressentiment, comme si quelque chose m'attendait. Quelque chose que je dois découvrir. Le plus souvent, les voitures sont envoyées à la casse. Dans le cas de l'accident de mes parents, la procédure s'est déroulée différemment. Un des flics de Boronia Ridge – la commune où l'accident a eu lieu – est un ami de Sligo. C'est lui qui a dirigé les premières investigations. J'ai lu son rapport, un an après. Il renfermait un reçu signé de la main de Sligo. La voiture a été transportée dans son entrepôt après l'expertise.

Winter s'est tue, le temps de dissimuler une mèche rebelle sous sa capuche.

– Selon les conclusions de l'enquête, mon père aurait perdu le contrôle de son véhicule dans un virage serré à cause d'une vitesse excessive sur la chaussée mouillée. Or je te jure que mon père faisait toujours preuve d'une extrême prudence avec ma mère et moi. Jamais il ne nous aurait mises en danger. Et je me souviens... je crois me souvenir... de son expression ahurie lorsque l'accident s'est produit. Il ne comprenait rien. Il ne parvenait plus à contrôler le véhicule. J'ai été éjectée, saine et sauve, tandis que mes parents, bloqués, s'écrasaient dans le ravin.

Les yeux emplis de larmes, Winter a baissé la tête. Je l'ai prise dans mes bras sans rien dire.

– Je veux simplement voir la voiture, a-t-elle sangloté. Juste la voir.

– D'accord. On va la retrouver.

22:23

Winter a sorti une clé de sa poche pour ouvrir le cadenas qui fermait les grilles.

– Tu as la clé de l'entrepôt de Sligo ?

– J'ai plein de clés, tu sais...

Nous nous sommes glissés rapidement à l'intérieur. Winter a rapproché à nouveau les grilles sans les cadenasser. Excellente précaution – au cas où nous aurions besoin de filer.

Winter a extirpé de son sac deux lampes torches noires.

– Tiens, prends-en une, m'a-t-elle soufflé.

– On commence par où ?

Des épaves de voitures s'amoncelaient partout – certaines à moitié cachées sous des bâches tachées de moisissure, d'autres empilées les unes sur les autres comme des tas de ferraille. Les faisceaux de nos lampes se reflétaient sur les chromes et les carrosseries rouillées.

Nous progressions lentement au milieu des voitures. À un moment, Winter a tendu le bras gauche vers un enchevêtrement d'épaves proches de la route que nous venions de longer.

– Je me repère, c'est moins compliqué qu'il y paraît. J'ai déjà examiné ce côté-là. Et aussi toutes les épaves entreposées derrière le bureau.

Elle a désigné une rangée de voitures sur notre droite.

– Je veux aller là-bas. Pour fouiller la zone qui n'était pas accessible.

– Tu ne crois pas qu'on devrait d'abord s'assurer qu'il n'y a personne dans le bureau ? Plusieurs mois de cavale m'avaient appris à prendre toutes les précautions. Le bâtiment était plongé dans le noir.

– Il n'y a absolument personne, a affirmé Winter. J'espérais qu'elle parlait en connaissance de cause.

– Mais ne nous approchons pas trop. On risquerait de déclencher les projecteurs automatiques.

– OK. Donc on procède en silence et en toute discrétion.

– Message reçu cinq sur cinq.

J'ai cru deviner son léger sourire narquois malgré l'obscurité.

– Au fait, quel modèle de voiture on cherche ? me suis-je enquis.

– Une berline BMW métallisée or avec des sièges crème. Et un petit quelque chose en plus à l'arrière.

– Quoi donc ?

Elle a hésité avant de murmurer :

– Je te montrerai si... quand on la trouvera.

J'ai passé un bras autour de ses épaules.

– Commence par là, et moi par l'autre bout.

– Ça marche. On se rejoint au milieu de l'allée.

Je me suis éloigné, guidé par le rayon de ma lampe torche.

22:44

La recherche n'était pas compliquée, mais lente car il y avait une quantité incroyable de voitures, la plupart encore en assez bon état, les autres compressées en blocs rectangulaires. Leur couleur et leur marque devenaient quasi impossibles à distinguer. Je me suis focalisé sur les véhicules de couleur or.

Parfois, j'étais obligé de m'accroupir pour vérifier le dessous d'une pile. Chacune rassemblait des berlines écrasées, des pick-up aux plateaux remplis d'eau de pluie, des cabines de camion, quelques remorques – le tout entassé dans le plus grand désordre.

Au cours de mon exploration, j'ai découvert une chatte et ses trois chatons sur la banquette arrière d'une vieille Ford. J'allais appeler Winter, pensant que ça l'amuserait, quand je l'ai entendue crier mon nom.

– Cal! Je l'ai trouvée! Elle est ici! La voiture de mes parents!

Lorsque je me suis écarté du monticule d'épaves, un projecteur s'est allumé. Winter, à quatre pattes, scrutait l'intérieur d'une voiture, ne paraissant pas remarquer la lumière qui nous inondait.

– Par ici, Cal! Vite!

J'ai couru vers elle. À présent, elle éclairait d'autres épaves avec sa lampe torche.

– Elle ne va pas être facile à atteindre. Il faut d'abord ramper sous celles-ci.

La joie et l'espoir illuminaient son visage.

– OK. Allons-y.

Au moment où je me baissais pour la rejoindre, une ombre énorme a surgi des ténèbres derrière le bâtiment.

Les exclamations de Winter nous valaient de la visite.

– Quelqu'un arrive! ai-je dit en la tirant par ses bottes. Vite! Demi-tour!

– Mais la voiture est là!

L'ombre massive se précipitait vers nous, grandissant à chaque seconde.

J'ai pris Winter par la main en criant :

– Sauvons-nous!

Un autre projecteur s'est allumé.

J'en suis resté bouche bée.

Non!

C'était impossible...

Il était tombé du clocher sous mes yeux; il avait disparu dans le vide! J'avais même vu son cadavre gisant au milieu des cactus, devant la porte du couvent de Manressa. Zombrovski était mort!

– Zombie 2, a murmuré Winter. Cours, Cal!

Le monstre a plongé vers elle et éjecté d'un revers de main la lampe torche qu'elle brandissait pour se défendre. Les mains gigantesques de Zombie 2 cherchaient à se refermer sur la gorge de Winter. Instinctivement, j'ai sauté sur son dos pour tenter de l'écarter de sa victime.

Il s'est débarrassé de moi comme d'un vulgaire moucheron ; je me suis affalé par terre.

Winter ne l'intéressait plus. Il s'est retourné, me dominant de toute sa hauteur.

Dès qu'il a saisi qui j'étais, la fureur a déformé ses traits.

– C'est toi ! Je te reconnais, a-t-il sifflé avec un fort accent étranger.

Winter avait raison : Zombie 2 était encore plus costaud et plus laid que son frère. Dire que j'avais cru qu'elle exagérait ! La colère lui faisait jaillir les yeux de la tête. Les narines frémissantes, il a vociféré :

– Tu as tué mon frère !

– Mais non ! Il...

– TU – AS – TUÉ – MON – FRÈRE ! a-t-il scandé comme un possédé.

Aucun doute, Zombie 2 allait me démolir. Il s'est jeté sur moi, m'a agrippé pour m'étrangler. Cloué au sol, écrasé sous son énorme masse, je sentais son haleine fétide tandis qu'il rugissait en resserrant ses doigts autour de ma gorge.

– Mon frère s'est brisé le cou par ta faute, je vais te pulvériser !

Soudain, il a poussé un rugissement de douleur avant de s'écrouler sur moi et, peu à peu, ses mains ont lâché ma gorge.

Debout derrière lui, Winter était cramponnée à un gros pare-chocs en acier. Elle paraissait aussi secouée que moi. Je me suis dégagé péniblement avant de me relever.

– Sauvons-nous ! a crié Winter en lâchant son arme improvisée qui a résonné sur le bitume avec fracas.

Nous avons filé en quatrième vitesse vers l'entrée mais des phares ont stoppé net devant la grille. Des portières ont claqué. J'ai attrapé Winter par le bras.

– Viens ! On passe par l'arrière !

Inutile de le lui dire deux fois. Nous avons slalomé entre les montagnes d'épaves vers la porte par laquelle nous nous étions esquivés, la nuit de notre première rencontre.

18 septembre
J –105

00:02

– Il faut y retourner, Cal, a déclaré Winter en reprenant son souffle. Il le faut. Maintenant, il n'y a plus de doute : la voiture se trouve là-bas !

Nous venions de rentrer chez elle. Épuisé, je me suis redressé. J'espérais qu'elle ne se trompait pas et qu'il s'agissait bien du véhicule de ses parents.

– On y retournera, je te le promets. Mais, pas à la minute, si tu veux bien...

– Évidemment, je ne suis pas folle ! Dire que je l'ai retrouvée... J'arrive à peine à le croire. Je savais qu'elle était là-bas. J'en étais sûre !

Elle m'a donné un coup de poing amical sur l'épaule.

– Aïe !

– Oh, pardon. Fais voir.

J'ai levé la tête pour la laisser m'examiner le cou à la lumière.

– Zombie 2 ne t'a pas loupé, a-t-elle constaté en tâtant ma gorge.

– J'ai eu chaud. Et toi, ça va ?

– Oui. Heureusement que tu lui as sauté dessus. Sans quoi il m'aurait écrasée comme une mouche.

– En fait nous nous sommes sauvé la vie à tour de rôle.

Il y a eu un petit silence puis elle a souri avant de me proposer :

– Tu veux rester ici ce soir ?

– Euh... je veux bien, merci. À ton avis, Zombie 2 a compris qui tu étais ?

Comme Winter avait les cheveux et le haut du visage dissimulés par sa capuche, c'était peu probable. Cependant il n'aurait surtout pas fallu que ce monstre aille raconter à Sligo qu'il l'avait surprise en train de fouiner dans la casse. Ou, pire, qu'elle était de mèche avec l'ennemi.

– Je ne crois pas qu'il m'ait reconnue, a conclu Winter. Enfin, je l'espère.

08:15

De légers coups frappés à la porte m'ont réveillé. Aussitôt, j'ai écarté la couverture et sauté du canapé. Une voix appelait :

– Winter ?

C'était Boris !

Je me suis approché à pas de loup pour m'en assurer.

– Winter ! C'est moi, Boris, a-t-il insisté.

J'ai ouvert et lancé, en imitant au mieux la voix de notre amie :

– Hé, salut Boris.

Il a fait un bond en arrière.

– Punaise ! Les gens ont souvent une sale tête le matin, mais toi, Winter, tu bats tous les records !

Ignorant la moquerie de mon ami, je l'ai tiré à l'intérieur avant de refermer la porte.

– Boris ! s'est exclamée Winter depuis son lit.

– Salut. Je suis passé à la villa, Cal, et comme tu n'y étais pas, j'espérais vous trouver tous les deux ici. J'ai un message de Gaby pour toi.

– Ah bon ?

J'étais impatient d'avoir des nouvelles de ma sœur.

– Elle dit que tu lui manques, qu'elle t'aime, et elle te demande de résoudre le Dangereux Mystère

Ormond le plus vite possible pour que tu puisses rentrer à la maison.

J'ai souri. Le portable de Winter s'est mis à sonner. Elle a aussitôt répondu :

– Oui ?

Après quelques hochements de tête, elle a murmuré « OK » puis raccroché. Les sourcils froncés, elle s'est tournée vers nous.

– Désolée, les garçons, vous devez partir. Tout de suite. C'était ma prof. Je dispose d'un quart d'heure pour réviser le mode subjonctif en français.

– Le quoi ?

– Peu importe. Elle est en route. Dépêchez-vous ! Je regrette de vous mettre à la porte, mais je n'ai pas le choix.

– Aucun problème, ai-je répondu en rassemblant mes affaires. Je retourne à la villa.

J'avais déjà mon sac à dos sur l'épaule quand j'ai remarqué l'expression soucieuse de Boris.

– Oh, oh. Ne me dis pas que... ce n'est plus possible ?

– Malheureusement, si. C'est pour ça que je suis passé à Crystal Beach ce matin. Les propriétaires reviennent dans deux jours. Mon oncle doit faire le ménage avant leur arrivée.

Il a haussé les épaules et ajouté, en me tendant cinquante dollars :

– Pas de chance, mec. Tiens, j'espère que ça t'aidera un peu.

Je l'ai remercié d'un signe de tête avant de glisser le billet dans ma poche.

– Allez, ouste! Dehors! a grogné Winter en nous poussant vers la porte. Vous finirez votre conversation ailleurs. À plus tard.

08:45

Dans la rue, au moment de nous séparer, Boris m'a demandé :

– Où est-ce que tu comptes aller?

Je n'avais aucune envie de retrouver mes vieilles habitudes : égouts, squats, encoignures de porte. Je ne connaissais qu'un endroit assez protégé...

– Dep acceptera peut-être de m'héberger.

Le repaire de Dep

10:09

Tête baissée, les yeux rivés sur le trottoir, je me suis dépêché de gagner la gare de triage désaffectée et de me faufiler, par la brèche de la clôture, jusqu'aux trois armoires métalliques adossées à la roche.

Je n'avais pas revu Dep depuis notre raid chez Sligo, le jour où nous avions mis la main sur le Joyau Ormond. J'ignorais ce qu'il était devenu et quel accueil il me réserverait, toutefois il me fallait un abri sûr.

En chemin, j'ai acheté des paninis au jambon et au fromage, dans le but de l'amadouer.

Après avoir vérifié qu'il n'y avait personne dans le secteur, j'ai pénétré dans l'armoire du milieu et frappé contre la cloison. Puis j'ai ouvert le sachet de paninis chauds pour laisser l'odeur alléchante s'infiltrer jusqu'aux narines de Dep.

– Dep, ai-je appelé à voix basse. C'est Cal. Je peux entrer ?

Je l'ai entendu ronchonner, se racler la gorge, marmonner entre ses dents.

– J'ai de quoi manger pour quatre, ai-je annoncé. Vous avez faim ?

– Qu'est-ce que tu veux encore ? a-t-il fini par soupirer. Chaque fois que nos chemins se croisent, les choses tournent au vinaigre.

– J'aimerais juste vous parler.

– De quoi ?

– On ne pourrait pas discuter en prenant le petit déjeuner ?

Il a à nouveau grommelé. La situation se présentait plutôt mal.

Finalement, il a dégagé l'entrée de son repaire, j'ai poussé avec soulagement la cloison de l'armoire qui s'est ouverte en grinçant.

Une fois de plus, je me retrouvais dans l'étrange pièce sombre où s'accumulait la collection toujours plus fournie de Dep.

Il était vêtu de son éternel costume vert foncé aux manches trop courtes mais ses cheveux fins s'étaient clairsemés, et il portait à présent des lunettes sans monture qui grossissaient ses yeux d'opossum.

– Ha ! Tu as grandi d'au moins cinq centimètres depuis qu'on s'est sauvés à bord de ce camion. Cinq bons centimètres !

Ses yeux globuleux pétillaient derrière ses verres épais.

– Quelle journée ! a-t-il repris. J'espère qu'aujourd'hui tu n'as pas l'intention de m'embarquer dans une autre de tes combines !

– Non, non, ai-je répondu tout en me demandant si j'avais réellement grandi de cinq centimètres. Au fait, comment vous vous en êtes sorti ce jour-là ? Vous avez disparu quand on a sauté du camion. Vous vous êtes volatilisé ?

– Si seulement je pouvais réaliser un tel tour de passe-passe ! a-t-il répliqué avec un large sourire. Ce serait bien commode.

J'étais d'accord avec lui. Combien de fois j'aurais souhaité en être capable !

– Malheureusement, je ne possède rien de magique, a-t-il soupiré. À l'exception de ces doigts perceurs de coffres-forts !

Il les a agités sous mon nez, puis il a tiré une chaise et ménagé un peu de place sur la table en écartant une boîte de porte-clés décorés d'un bonhomme de neige.

– J'ai couru me cacher dans les hautes herbes. Je t'ai appelé pour que tu me suives, mais tu t'es sauvé dans la direction opposée. Vers le bord de la falaise ! J'ai tout de suite pensé : le gamin est fichu. Je me suis aplati sur le sol... et je t'ai vu t'envoler dans les airs.

– J'ai réussi à poser le deltaplane. J'avais peur de m'écraser, pourtant j'y suis arrivé !

– Incroyable. Incroyable, a commenté Dep en se lavant les mains dans le petit lavabo.

J'ai sorti les paninis de leur sac en papier avant de les mettre sur la table. Dep a débarrassé un vieux fauteuil des boîtes et cartons qui l'encombraient.

La curiosité m'a poussé à l'interroger :

– À quoi vous servent ces grosses lunettes ?

– Elles améliorent mon image de marque. J'ai lu un article passionnant à ce sujet dans un magazine.

Il les a enlevées, remises en place, puis il a cligné des yeux.

– Elles renforcent ma gravité.

– Pardon?

– Ma gravité, c'est-à-dire ma dignité, mon sérieux, ma crédibilité.

Il m'a observé un moment en silence par-dessus ses verres en prenant une pose affectée. Finalement, il s'est assis avec précaution dans le vieux fauteuil.

– Le problème, c'est que je ne vois rien à travers.

Pourtant, Dep a visé avec précision un panini que ses longs doigts osseux ont promptement porté à sa bouche.

– L'autre problème, c'est qu'il n'y a jamais personne ici pour remarquer à quel point j'ai l'air grave, digne, imposant et sérieux!

11:21

Le temps que j'achève le récit de mes dernières aventures, il ne restait plus une miette de pain sur la table.

Dep s'est calé contre le dossier de son fauteuil.

– Tu veux dire qu'après tous les efforts que j'ai exigés d'eux, a-t-il repris en frottant et tordant ses doigts à une telle vitesse qu'ils m'ont paru flous, tu as perdu le Joyau Ormond?

– Je ne l'ai pas perdu. On me l'a extorqué!

Il a grogné et hoché la tête en continuant à m'observer par-dessus ses nouvelles lunettes.

– Et alors, qu'as-tu l'intention de faire maintenant?

– Récupérer le Joyau et l'Énigme. Et me rendre en Irlande.

À son tour, Dep m'a informé de sa situation. Il « empruntait » de plus en plus d'objets dans les trains avant qu'ils ne soient ramassés et déposés au bureau des objets trouvés.

– Tu ne devineras jamais ce que j'ai découvert dans un carton!

Complètement excité, il a bondi de son fauteuil et disparu derrière une bibliothèque.

– Et très soigneusement monté en plus! a-t-il lancé.

– Euh... Je ne sais pas... Un collier de perles?

Brusquement, la lumière s'est éteinte. Nous nous sommes retrouvés plongés dans le noir.

– Hé! Qu'est-ce qui se passe?

– Bouh!

J'ai failli avoir une crise cardiaque quand la lumière s'est rallumée et que j'ai vu jaillir de la bibliothèque un squelette.

– Dis bonjour à Mr Skeleton! s'est écrié Dep caché derrière sa trouvaille.

– Dep! Vous voulez me tuer?

– Il est superbe, non ? Il doit valoir quelques centaines de dollars ! C'est dingue, voilà le deuxième squelette que je découvre dans un train... J'ai baptisé l'autre Mrs Skeleton.

Le cœur battant, je me suis affalé sur mon siège.

– Vous m'avez flanqué la frousse de ma vie !

Il a gloussé avant de disparaître à nouveau avec son squelette.

– Le moins que vous puissiez faire, maintenant, c'est de m'héberger ici quelques jours...

Il m'a jeté un regard en coin sans relever ma proposition.

Au moins, il n'avait pas dit non.

20:35

Confortablement installés, Dep et moi avons bavardé toute la journée et une bonne partie de la soirée. Je lui ai parlé des frères Zombrovski, de la chute mortelle du plus jeune, de la méchanceté et de la violence de son aîné, de sa soif de vengeance.

– Il y a vraiment des gens détestables sur cette terre, a constaté Dep. Pas plus tard qu'avant-hier, je suis tombé sur une bande de jeunes terreurs. Ils traînaient à l'affût d'un mauvais coup. L'un d'eux avait une tête de pirate, avec son bandana ; un autre avait des doigts en moins.

Triple-Zéro et sa bande ? Oh non !

– Je les connais, ai-je dit. Ce sont des ordures. Méfiez-vous-en.

Je me suis levé et effondré sur le canapé défoncé en soupirant d'aise.

– Ah, qu'est-ce qu'on est bien ici !

J'ai allongé les jambes, croisé les bras derrière la tête et bâillé à m'en décrocher la mâchoire. Ce stratagème dissuaderait-il Dep de me chasser ?

Il a pris une couverture de l'armée et me l'a lancée avec un grand sourire :

– OK. OK. Tu peux rester.

19 septembre
J –104

Dep avait installé les deux squelettes côte à côte lorsque je lui ai apporté sa tasse de thé. Le premier était affublé d'un chapeau de paille à fleurs et d'un collier de perles, le second d'un bandeau sur l'œil et d'une vareuse militaire. Tout en calant une pipe entre les dents cliquetantes du squelette au bandeau, il a guetté ma réaction.

– Joli couple, hein ?

– Génial. Écoutez, Dep, je vais essayer de rendre visite à Gaby aujourd'hui.

– Tu ne m'as pas dit que la maison de ton oncle était aussi impénétrable que Fort Knox ? Ce serait dommage de te faire arrêter maintenant alors que tu viens de retrouver ta sœur.

– Oui. Évidemment. Mais je veux la voir. Même si elle ne le sait pas. J'ai besoin de m'assurer qu'elle est en sécurité.

– Bien. Bien. Il faut prendre soin de sa famille. Rien au monde n'est plus important. Agis comme bon te semble. Débrouille-toi seulement pour passer inaperçu.

Maison de Ralf
Surfside Street, cap Dauphin

19:35

À la tombée de la nuit, je me suis glissé hors du repaire de Dep. J'avais emprunté, dans sa collection, un blouson noir, un bonnet de laine et une paire de jumelles.

Le temps que j'arrive chez Ralf, l'obscurité était complète. En chemin, j'ai ramassé une poignée de prospectus abandonnés près d'une poubelle archi-pleine. Ils vantaient les qualités d'un peintre en bâtiment et jardinier. Pour éviter d'éveiller les soupçons sur ma présence improbable dans ce quartier luxueux, chaque fois que je croisais quelqu'un, je déposais un flyer dans une boîte aux lettres.

SEPTEMBRE

Parvenu devant la maison de mon oncle, j'ai jeté un coup d'œil prudent aux alentours. Tout était calme, mais je devais me méfier des caméras de surveillance et des alarmes. J'avais promis à Gaby de lui rendre visite, tout en sachant que l'entreprise serait périlleuse.

J'ai inspecté les lieux aux jumelles.

À l'étage, deux pièces étaient éclairées. Il m'a semblé qu'une autre lumière brillait à l'arrière de la maison, du côté de la terrasse aménagée en salon de jardin. J'ai passé en revue le haut des murs, compté les caméras ainsi que les détecteurs fixés sous la gouttière, puis étudié la meilleure voie à emprunter pour m'introduire là sans me faire prendre.

J'espérais que l'étroit passage que j'avais choisi me protégerait suffisamment. Sinon, je serais dans de sales draps.

J'ai escaladé la haute clôture à l'endroit où la végétation était la plus abondante, avant de me glisser dans les buissons.

Le jardin me paraissait plus vert et plus touffu que lorsque nous étions venus avec Boris, en janvier, dans l'espoir de récupérer l'enveloppe contenant les dessins de mon père.

Tout en longeant la clôture, j'ai tenté de repérer l'emplacement exact de la chambre de Gaby. Non seulement l'endroit regorgeait de caméras et de détecteurs, mais toutes les ouvertures, ainsi que la porte d'entrée, étaient maintenant protégées par des barreaux.

À l'étage, au centre de la demeure, deux fenêtres laissaient filtrer une lumière douce. J'étais pratiquement certain que derrière elles se trouvait la nouvelle chambre de Gaby. J'ai escaladé le tronc d'un arbre afin d'avoir une meilleure vue. De mon poste d'observation, je pouvais espionner à la fois la façade et l'un des côtés.

19:46

Une autre lampe s'est allumée, dans la pièce qui, je m'en souvenais, était le bureau de Ralf. Là où, pour la première fois, j'avais lu les mots « Énigme Ormond » griffonnés sur une feuille. Une ombre, celle de mon oncle, est passée devant la fenêtre.

Je me suis installé dans l'arbre de façon à avoir les mains libres pour me servir des jumelles.

Grâce à elles, j'ai parfaitement reconnu les anciens meubles de Gaby – sa coiffeuse et son armoire – dans la chambre que je supposais être la sienne.

Soudain, ma petite sœur a surgi dans mon champ de vision.

Mon cœur a bondi dans ma poitrine. Je mourais d'envie de crier son nom. De la rejoindre.

110

SEPTEMBRE

En chemise de nuit rose et pantoufles blanches molletonnées, elle allait et venait, déplaçait et rangeait des affaires.

Tout à coup, la silhouette de Ralf s'est découpée dans l'encadrement de la porte. Gaby s'est retournée, a couru vers lui et jeté ses deux bras autour de sa taille. Mon oncle s'est penché pour l'embrasser sur le front, puis a disparu.

L'espace d'une seconde, j'avais eu l'impression de voir mon père.

20:03

Comment avertir Gaby que j'étais là? Que je venais m'assurer qu'elle allait bien?

Je me creusais la tête à la recherche d'une idée quand ma petite sœur a ouvert une fenêtre. Elle s'est penchée pour contempler le ciel entre les barreaux.

Chaque fois que mon père partait en voyage à l'étranger, il nous proposait de regarder, le soir, le ciel et les étoiles. Car, disait-il, même si la moitié de la terre nous sépare, cela ne nous empêche pas d'admirer les mêmes étoiles.

Un instant, j'ai eu la quasi-certitude que Gaby me savait près d'elle. Mais comment l'aurait-elle pu?

J'ai fixé son visage.

Elle fronçait les sourcils.

Soudain, je me suis figé en distinguant un bruit de pas. Quelqu'un longeait la maison. Collé contre le tronc de l'arbre, j'ai dressé l'oreille.

Les pas se rapprochaient. À travers le feuillage, j'ai aperçu en bas Ralf, une tasse de thé à la main. Il s'est arrêté exactement sous la branche qui me cachait. Qu'est-ce qu'il attendait? Avait-il entendu quelque chose? Sentait-il ma présence? Je n'osais plus respirer de peur de faire trembler une feuille.

– Erin? C'est toi, Erin?

Tout mon corps s'est crispé.

La voix de ma mère s'est élevée, de l'arrière de la maison. J'ai alors deviné sa silhouette frêle courbée au-dessus d'une table, à l'extrémité de la terrasse.

– Je suis là.

La ressemblance entre Ralf et mon père m'a fait songer à Ryan Spencer, mon « jumeau ». Si seulement je pouvais en discuter avec ma mère et obtenir une explication nette et franche.

– Je t'apporte une tasse de thé, a annoncé mon oncle en la lui tendant avec douceur. Tu étais devant la maison, tout à l'heure?

– Non, a-t-elle réagi après un silence. Pourquoi?

– Il me semble avoir aperçu une ombre dans le jardin.

– Sans doute le chat des voisins. Un chat noir. Il lui arrive souvent de sauter sur le rebord des fenêtres en passant à travers les barreaux.

– Je vais tout de même jeter un coup d'œil pour m'assurer qu'il n'y a personne.

– Ralf, ce n'était pas ta faute, tu sais. Tu ne peux pas te reprocher l'enlèvement de Gaby. Tu as fait ton possible pour la protéger.

– On peut toujours faire mieux, a-t-il lancé en s'éloignant.

Quand il est revenu sur ses pas, il a sorti une lampe torche de sa poche. Et s'il éclairait l'arbre dans lequel j'étais perché?

– Ralf? Regarde! a crié ma mère d'une voix fatiguée, mais soulagée. Le chat. Là, juste derrière toi.

Ralf s'est retourné, a considéré l'animal en secouant la tête avant de regagner l'intérieur de la maison. Ma mère s'est alors levée lentement pour le suivre, en tenant avec précaution sa tasse de thé à deux mains.

Je pouvais remercier le chat des voisins!

La queue dressée, il a poursuivi son chemin tranquillement. Qui a dit que les chats noirs portaient malheur?

20:13

Gaby était toujours penchée à la fenêtre, les yeux levés vers le ciel, les sourcils froncés.

Soudain, j'ai eu une idée.

Gaby me demandait souvent de lui dessiner des chats. Des portraits de Pelote – notre ancien matou – ou d'autres chats rigolos. Elle en avait collé plusieurs autour du miroir de sa coiffeuse. J'ai tiré un prospectus de mon sac, cherché un stylo et rapidement gribouillé au dos un petit minet qui disait « Salut ! » dans une bulle. Puis j'ai plié le papier en avion et je l'ai pointé vers la fenêtre ouverte.

Au même instant, ma sœur s'est redressée et a disparu de ma vue.

« Surtout, ne referme pas », ai-je imploré en silence.

Même si la cible était assez lointaine, j'ai réussi à lancer l'avion en papier avec précision. Il a fendu l'air en direction de l'ouverture et s'est glissé miraculeusement entre deux barreaux avant d'atterrir sur le plancher.

Bien visé !

Gaby comprendrait tout de suite que le message venait de moi ; en revanche, ma mère ou mon oncle n'y verraient qu'un dessin banal.

J'ai surveillé la pièce aux jumelles, espérant apercevoir ma sœur quand elle le trouverait.

Assise devant sa coiffeuse, elle se brossait les cheveux. Brusquement, elle s'est interrompue, comme si le miroir avait reflété quelque chose d'inhabituel.

SEPTEMBRE

Elle a sauté de sa chaise pour aller ramasser l'avion. Mon cœur s'est emballé. La physionomie de ma petite sœur s'est illuminée au fur et à mesure qu'elle dépliait le papier, comme si elle ouvrait un paquet cadeau.

J'aurais voulu lui crier que j'étais là, toutefois c'était impossible sans me faire repérer.

Elle a bondi de joie et, le dessin du chat pressé contre sa poitrine, elle a couru se pencher à la fenêtre pour fouiller le jardin du regard.

Un large sourire éclairait son visage.

20 septembre
J –103

Appartement de Ryan Spencer

`00:10`

Observer mon double dormir dans son lit, de l'autre côté de la vitre, me donnait la chair de poule.

Le fait d'avoir revu ma mère chez Ralf m'avait décidé à passer à l'action. Il me fallait des réponses claires. Je voulais savoir qui était Ryan, qui j'étais. Et j'attendais des explications de ma mère qui était la seule à pouvoir m'éclairer.

Pour l'instant, j'avais sous les yeux, derrière le carreau, la carte de bus de mon sosie, posée par terre à côté de son sac à dos.

La fenêtre à guillotine était entrouverte d'un centimètre. J'ai glissé mes doigts dans la fente et soulevé le panneau avec précaution. En sentant le vent froid s'engouffrer à l'intérieur, j'ai craint qu'il ne réveille Ryan.

Dans le plus grand silence, j'ai passé la jambe droite par l'ouverture puis me suis introduit complètement dans sa chambre. J'ai attrapé sa carte et je l'ai fourrée dans ma poche. Avant de ressortir, je n'ai pu m'empêcher de chercher des yeux le chien en peluche blanc.

Il se trouvait toujours sur l'étagère.

Hypnotisé, je l'ai fixé, immobile.

Soudain, Ryan s'est retourné dans son lit en grognant ; cela a suffi pour me tirer de ma torpeur.

J'ai filé en un clin d'œil.

Maison de Ralf
Surfside Street, cap Dauphin

01:30

Après avoir griffonné ma question au dos de la carte de bus, je l'ai glissée dans la boîte aux lettres.

118

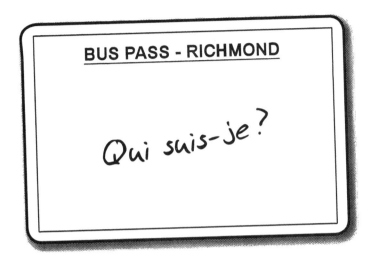

BUS PASS - RICHMOND

Qui suis-je ?

Le repaire de Dep

15:00

Le Pr Brinsley n'avait toujours pas répondu
à mon mail. J'attendais aussi, avec impatience,
que Boris ait fini de préparer la carabine à air
comprimé. J'avais hâte de mettre mon plan à
exécution.

Je n'avais pas non plus de nouvelles de Nelson
Sharkey depuis un bon moment. Il fallait que je
l'appelle.

J'en étais là de mes réflexions lorsque j'ai reçu un texto :

 Krabine OK. Tt È prè. RV ché W à 16h.

——*——

12 Lesley Street

16:05

Boris a fait irruption dans le studio en annonçant :
— Et trois hamburgers, trois !
Il a procédé à la distribution avant de se débarrasser de son sac de marin.
— Merci Boris. La prochaine fois, c'est moi qui régale, a promis Winter.
Pressé de découvrir le contenu du sac, j'ai tendu la main pour l'ouvrir.
— Alors, fais voir !
Mais il l'a écartée :
— Une minute !
Il a d'abord sorti la carabine, qu'il a posée sur la table, puis une petite boîte qu'il a placée à côté. Le canon de l'arme, long et mince, me paraissait plus droit et plus brillant que la dernière fois.
— Tu as l'air drôlement content de toi, a remarqué Winter. Qu'est-ce qu'il y a dans cette boîte ?

– Un espion customisé, a répondu Boris en la poussant vers moi.

Je l'ai ouverte.

– Ouah! Incroyable!

J'ai soulevé l'objet avec délicatesse. Boris avait maquillé l'émetteur miniature en insecte – un papillon de nuit noir avec des ailes triangulaires, une tête et des antennes.

– Je me suis servi du matériel de pêche de mon oncle pour le fabriquer. Tu vois ce bouton? Si tu l'enfonces, avec la pointe d'un crayon par exemple, tu le mets en état de marche. Et à partir de cet instant, tu disposes d'une douzaine d'heures d'écoute.

– C'est impressionnant, Boris, ai-je répliqué. On jurerait un vrai insecte.

Winter me l'a pris des doigts avec précaution pour l'examiner à son tour.

– Il est magnifique. Formidable, l'idée du papillon de nuit. Tu m'épates, Boris.

Il m'a semblé le voir rougir.

– Je l'ai muni d'une mini ventouse, a-t-il repris.

Il nous a montré la minuscule coupole en caoutchouc collée à l'avant du « papillon ».

– Je l'ai testée. Elle se fixe sur n'importe quelle surface plane.

Boris s'est alors saisi de la carabine à air comprimé pour en examiner le canon.

– J'ai fait des essais de tir avec mon papillon-espion. Tu verras, la carabine dévie un peu à droite. Tiens-en compte quand tu viseras ta cible. Sinon elle donne d'excellents résultats sur une portée assez courte.

– C'est-à-dire ?

– Une dizaine de mètres.

J'ai tenté d'évaluer la distance entre l'arbre, la fenêtre et le mur du fond, dans le bureau d'Oriana de Witt.

– Ça devrait aller.

– Reste à trouver un endroit discret où nous poster avec le récepteur. Pas trop loin de la maison d'Oriana de Witt.

– Tu peux conserver tout ce matériel avec toi jusqu'à ce qu'on soit prêts à agir ?

– Bien sûr. Et... n'oublie pas : tu n'auras droit qu'à un seul coup.

Je ne risquais pas de l'oublier. J'en frémissais d'avance.

Le repaire de Dep

18:16

Je traversais à grandes enjambées la route qui longeait la gare de triage désaffectée, un paquet tout chaud de fish and chips à la main pour Dep, quand le vrombissement d'un hélicoptère a attiré mon attention. La peur m'a serré le ventre. C'était la police.

M'avait-elle repéré ?

Le hurlement assez proche d'une sirène a déchiré l'air.

Aussitôt j'ai foncé vers les trois vieilles armoires métalliques pour me jeter dans celle du milieu.

– Dep ! C'est Cal ! ai-je soufflé en cognant à la cloison. Vite ! Laissez-moi entrer !

Les hurlements de la sirène se rapprochaient tandis que l'hélicoptère décrivait des cercles au-dessus du quartier.

Pas de réponse.

– Allez, Dep ! Fini de plaisanter ! Les flics sont après moi !

Toujours pas de réponse. Je ne percevais pas le moindre bruit à l'intérieur.

J'ai frappé plus fort.

– Dep, laissez-moi entrer ! S'il vous plaît !

Aucune réaction. Je commençais à me demander s'il était là quand il m'a semblé distinguer un raclement de chaise. Le hurlement de la sirène me transperçait les oreilles à présent, accompagné de crissements de pneus.

– Je sais que vous êtes là ! ai-je crié, de plus en plus nerveux. Je vous entends.

La voiture de police, tous gyrophares allumés, est passée en trombe dans la rue sans s'arrêter. J'ai poussé un soupir de soulagement. L'hélicoptère s'éloignait, lui aussi. Il se réduisait désormais à un point lumineux dans le ciel qui s'assombrissait au-dessus de la ville. Cette fois, ce n'était pas moi qu'on pourchassait.

Derrière la cloison de l'armoire, le raclement a de nouveau retenti. Même si les policiers avaient disparu, mon inquiétude grandissait. Je me sentais instinctivement en danger. Pourtant, il fallait que je sache si mon ami allait bien.

– Qu'y a-t-il, Dep? Pourquoi vous ne me laissez pas entrer?

Le bruit d'un objet qu'on écartait de la cloison m'a réconforté. J'ai fait pression sur le fond de l'armoire et je me suis retrouvé dans le repaire de Dep.

En une fraction de seconde, j'ai compris la situation et tenté de ressortir. Trop tard! J'étais pris au piège!

Devant moi, bâillonné, ligoté à la tête de son lit, Dep se débattait.

Triple-Zéro m'a sauté dessus, saisi à bras-le-corps et plaqué au sol. J'ai voulu le repousser, mais il m'a tordu un bras dans le dos puis, avec l'aide de son comparse, traîné jusqu'à la table avant de m'asseoir sur une chaise.

Dep gémissait. Je lui ai jeté un regard en coin ; il avait réussi à faire glisser le bâillon de sa bouche.
– Ils sont entrés en force derrière moi, Cal, m'a-t-il expliqué d'une voix haletante. Je revenais avec du matériel quand ils ont surgi de nulle part. Je n'ai rien pu faire – ils étaient deux contre un ! Ils ont reconnu tes affaires et décidé de t'attendre. Je suis désolé.

Il semblait désespéré dans son costume vert chiffonné aux manches trop courtes, son visage maigre affaissé sur sa cravate jaune sale.
– Ferme-la, espèce de vieil épouvantail, a craché l'acolyte de Triple-Zéro.

Je le reconnaissais. C'était Freddy, le voyou à l'allure de pirate que j'avais rencontré une première fois dans le collecteur des eaux pluviales, puis lors du vol de voiture dans le parking avec Griff Kirby.
– Qu'est-ce que vous voulez ? ai-je crié alors qu'ils me ligotaient sur la chaise.
– À ton avis ? a ricané Triple-Zéro. Rendre service à la société en facilitant l'arrestation de Cal Ormond !

Freddy a ricané comme une hyène. Triple-Zéro s'est frotté le pouce contre l'index.
– Je compte aussi palper la récompense. Et, cette fois, je l'aurai ! Tu ne t'échapperas pas ! Les flics vont venir te cueillir vite fait. C'est fini pour toi, mon pote.

Il a tiré violemment sur la corde en nylon attachée autour de mes poignets et de mes chevilles avant de coller son visage à quelques centimètres du mien.

– Tu vas regretter de m'avoir roulé.

J'ai tenté de me débattre. En vain. Impossible de bouger.

– Grouille-toi, Freddy! a ordonné Triple-Zéro à son complice. On boucle l'endroit comme il faut et on se casse.

Freddy avait arraché plusieurs planches à la table.

J'ai alors réalisé qu'ils avaient saccagé la collection de Dep. Le repaire était dévasté. Mon cœur s'est serré à la vue de mon ami qui, ligoté à la tête de son lit, contemplait d'un air impuissant l'étendue du désastre.

Freddy a eu un petit sourire narquois à mon intention en se faufilant par la porte dérobée. Juste avant de sortir sur ses talons, Triple-Zéro m'a lancé avec un rictus diabolique :

– Merci pour la bouffe.

Il a ramassé le sac de fish and chips que j'avais lâché dans la bagarre, puis s'est tourné vers Dep :

– Tu te croyais invincible avec ta porte secrète, hein? Eh bien, essaie de te faire la malle maintenant, pauvre clown!

SEPTEMBRE

18:42

Dep et moi avons entendu Triple-Zéro et Freddy bloquer les planches en travers du fond de l'armoire pour condamner l'accès. J'ai observé la pièce. Rien que de la roche. Même pas une fenêtre par où s'échapper.

J'avais beau remuer les poignets, mes liens étaient trop serrés pour que j'espère les dénouer. Immobilisés comme nous l'étions, nous n'avions plus qu'à attendre l'arrivée des policiers.

– Ils vont m'embarquer, a soupiré Dep. Je serai expulsé d'ici. Ils m'enfermeront avec toi. J'ai réussi à les éviter depuis des années, et à présent...

Je l'ai laissé se lamenter sans répliquer. Cependant, au bout d'un moment, comme la panique me gagnait, je l'ai coupé :

– Écoutez, vous n'êtes pas le seul à plaindre. Vous avez peut-être des problèmes, mais moi je suis certain de passer le restant de mes jours dans une prison de haute sécurité !

J'ai repensé aux paroles de mon père : « Quand tu es dans le pétrin, inutile de gaspiller ton énergie à geindre. Garde-la plutôt pour trouver une solution. »

– Dep, il faut sortir d'ici. Tout de suite.

– Des années que je sème les bleus, a-t-il continué en tordant désespérément ses doigts maigres

127

pour détacher ses liens. Quelle humiliation de se retrouver ligoté, livré à leur merci!

– Eh bien, cherchez une idée.

– Tu les as entendus bloquer l'entrée. Il faudrait un bulldozer pour forcer le passage.

– Libérons d'abord nos mains et nos pieds. Après, on verra.

– Attachés comme ça, impossible de se risquer dans le tunnel de secours.

– Le tunnel de secours?

– Celui que j'utilisais autrefois. Je ne l'ai pas emprunté depuis longtemps à cause des chutes de pierres. Trop dangereux.

– Mais oui, je me souviens!

Il m'en avait parlé, des mois plus tôt. J'ai sautillé sur place avec ma chaise pour me tourner face à Dep.

– S'il existe une autre issue, on a un espoir de s'en tirer. Il faut courir le risque!

– Tu rêves, mon garçon! Ficelés comme des saucissons, on n'a aucune chance. Sans compter que ce tunnel est un piège mortel.

– On doit quand même essayer!

Dep a désigné du menton sa bibliothèque.

– Il est dissimulé par ce meuble. Si tu le pousses, tu verras l'entrée d'un tunnel relié au réseau d'écoulement des eaux qui passe sous la voie où tu as failli être réduit en bouillie. Tu te souviens?

– Si je me souviens!

– Une fois, un éboulement s'est produit pendant que je me trouvais à l'intérieur. J'ai failli être enterré vivant. Tu te rends compte! Enterré vivant...

J'ai frissonné. Je savais mieux que quiconque l'effet que cela produisait.

– De toute façon, même si on voulait essayer, on ne pourrait pas, a-t-il ajouté en secouant la tête. Regarde-nous!

– Tentons le coup malgré tout, ai-je insisté en rapprochant ma chaise du lit par petits bonds successifs.

Si je continuais ainsi, je traverserais la pièce jusqu'à Dep et peut-être parviendrait-il à dénouer les liens qui m'emprisonnaient grâce à ses longs doigts habiles.

– On n'a pas beaucoup de temps. J'arrive! Vous allez me détacher!

Au prix d'efforts intenses, en continuant à sauter centimètre après centimètre sur le sol poussiéreux, j'ai fini par atteindre la tête du lit et à me placer devant Dep, de sorte que mes poignets touchaient l'extrémité de ses doigts.

– À vous de jouer! Libérez mes mains. Vite!

Aussitôt, j'ai senti ses doigts s'agiter, s'acharnant sur les nœuds dans mon dos.

– Dépêchez-vous!

– Je fais de mon mieux. Je sais parfaitement que la cavalerie va débarquer d'une minute à l'autre. Boucle-la et tiens-toi tranquille !

J'ai serré les dents pour m'empêcher d'en dire davantage. La sueur dégoulinait sur mon front et me piquait les yeux.

– J'y suis presque, a annoncé Dep après d'interminables minutes.

En effet, je sentais les cordes se détendre. J'ai tordu les poignets et allongé les doigts pour glisser mes mains hors des liens.

– Ça y est ! ai-je crié.

– À moi, maintenant. Grouille-toi de me délivrer ! Je me suis attaqué avec frénésie aux attaches qui entravaient mes chevilles avant de détacher Dep du lit.

Il a jeté les cordes par terre puis s'est relevé d'un bond, manquant tomber.

– Je ne sens plus mes jambes, a-t-il gémi en tapant des pieds et en dansant sur place comme un lutin dément. Il faut que ma circulation sanguine se rétablisse.

– Arrêtez de faire le pitre ! On a intérêt à déguerpir illico !

Un long moment s'était écoulé depuis que Triple-Zéro et Freddy nous avaient emprisonnés, et il me semblait entendre à nouveau l'hélicoptère.

Nous avons entrepris de déplacer la bibliothèque. Dehors, des voitures ont freiné dans un crissement de pneus. Bientôt, des pas pesants ont martelé le sol. J'imaginais un escadron se préparer à l'attaque.

– Les flics sont là ! ai-je hurlé. Dans deux secondes, ils défonceront la porte ! Vite !

Immobile, les yeux au plafond, Dep scrutait une cavité obscure au-dessus de l'entrée de son repaire.

– Mais qu'est-ce que vous fabriquez encore ? Aidez-moi !

M'ignorant complètement, Dep continuait à fixer le même point, comme s'il calculait quelque chose. Il a hoché la tête en se frottant les mains.

– Dep ! Réveillez-vous ! On n'a pas une seconde à perdre. Fichons le camp d'ici !

Finalement, il a réagi et recommencé à pousser la bibliothèque, faisant valser des boîtes et des flacons hors des étagères. Un bocal s'est renversé. Des yeux en verre de toutes les couleurs s'en sont échappés – j'ai eu l'impression désagréable qu'ils nous observaient.

Enfin, un trou de la taille d'une cheminée est apparu, ouvert sur les ténèbres.

– Ma collection ! s'est lamenté Dep en contemplant ses trésors éparpillés. Toutes ces années de recherches réduites à néant !

Il a ramassé un sac qui traînait par terre et zig-zagué comme un fou dans la pièce pour récolter des objets à droite et à gauche.

– On n'a pas le temps, Dep! Prenez la lampe torche!

Mais il ne m'écoutait pas.

– Où est-elle? Mais où est-elle donc? gémis-sait-il en fouillant frénétiquement le monceau de babioles qui recouvrait le sol. Je ne peux pas me sauver sans elle.

– Qui ça? De quoi vous parlez? Le temps presse! Il faut partir!

– Ahhh! La voilà.

Et il s'est précipité dans ma direction en serrant entre ses mains le portrait de sa mère qu'il a glissé délicatement dans la poche de sa chemise juste contre son cœur.

Soudain, des coups ont ébranlé la porte.

– Ils défoncent la cloison!

Même si Dep avait consolidé l'arrière de l'armoire métallique, elle ne résisterait pas longtemps aux masses utilisées par la police.

Dep a saisi une lampe torche qui avait roulé sur le sol et, sans lâcher son précieux butin, s'est jeté dans le tunnel. Je l'ai suivi à quatre pattes, traî-nant mon sac à dos derrière moi et m'écorchant les genoux.

Le fond de l'armoire n'allait pas tarder à céder sous les coups. Je me suis hâté de rejoindre Dep dont la silhouette se découpait sur le halo de la lampe qu'il tenait devant lui.

Des pierres se délogeaient sur mon passage. L'une d'elles m'a frappé à la tête. Tout à coup, je me suis heurté au dos de Dep.

– Stop! a-t-il ordonné.

– Qu'y a-t-il? ai-je demandé, paniqué. Un éboulis? On n'a même pas parcouru vingt mètres!

Le bras tendu vers une cavité au plafond, il a saisi une poignée en corde.

– Qu'est-ce que vous faites? Avancez!

– Les Chutes du Salut, a-t-il murmuré. J'ai installé ce système il y a des lustres, quand je croyais ce tunnel sûr. Voyons s'il mérite son nom!

Je ne comprenais pas ce qu'il racontait. Je ne pensais qu'aux policiers à nos trousses.

Brusquement, il a tiré la poignée avec une énergie farouche. Un épouvantable grondement de tonnerre nous a assourdis.

Terrifié, je me suis cru perdu – une avalanche de pierres allait nous enterrer vivants. Mais non. Seul un nuage de poussière nous enveloppait.

Puis j'ai distingué l'expression triomphale de Dep.

– Yes! Ça a marché!

En actionnant son système, il avait libéré un énorme amas de roches maintenues en place par une sorte de trappe en bois au-dessus de l'entrée secrète de son repaire. Voilà ce qu'il avait examiné au moment de partir !

– Les flics ne risquent plus de passer, désormais. Les Chutes du Salut avaient fonctionné !

– Chapeau, Dep.

Son air satisfait s'est vite évanoui.

– On n'est pas au bout de nos peines, mon garçon.

Comme en réponse à ses paroles, un autre grondement – devant nous, celui-là –, a ébranlé le tunnel. Les poumons soudain pleins de poussière, j'ai suffoqué.

– Je t'avais prévenu. Ce tunnel n'est pas fiable. Mais maintenant, on n'a plus le choix. Il faut avancer.

20:15

Nous avons continué à ramper dans l'étroit boyau. En tête, Dep grommelait entre ses dents.

Un nouveau grondement nous a secoués, précipitant des pierres sur nous.

– Suis-moi de près, a fait mon compagnon d'une voix étouffée. J'ai l'impression qu'un éboulement se prépare.

SEPTEMBRE

J'ai accéléré pour éviter de me laisser distancer, sans me soucier des cailloux acérés qui me coupaient les mains et les genoux. Je me contentais de suivre Dep, en espérant que les roches ne dégringolent pas à notre passage.

20:32

J'avais l'impression de ramper depuis une heure quand un énième grondement accompagné de craquements et de crissements sinistres a fait trembler le sol. Mon cœur a manqué un battement. Au même instant, une pluie de pierres s'est abattue sur moi. Je me suis effondré sous la violence du choc.

20:40

Lorsque j'ai rouvert les yeux, j'ai compris que j'étais bloqué. Le visage écrasé contre le sol, je pouvais à peine tourner la tête. J'apercevais un rai de lumière à travers une fente.

Quelqu'un gémissait près de moi. J'ai voulu ramper vers lui.

Impossible.

Dep et moi étions ensevelis sous un éboulis. La lueur que je distinguais était le faisceau de sa lampe torche, entre les roches.

– Dep ? Ça va ?

J'ai entendu des pierres rouler.

– Dep ? Vous pouvez bouger ?

– Un peu, je crois, a-t-il répondu d'une voix rauque et faible.

D'autres pierres ont roulé tout autour de nous. Dep soufflait comme un bœuf.

– J'ai la jambe gauche coincée. J'essaie de... la dégager.

Il a grogné à plusieurs reprises en faisant un effort pour se libérer.

– Ah, voilà. Ça y est, a-t-il haleté.

– Dep, je vais avoir besoin de votre aide. Je suis coincé.

J'ai vu le faisceau lumineux virevolter quand Dep a ramassé sa lampe torche et éclairé l'étroite tombe dont nous étions prisonniers. L'air saturé de poussière et d'humidité m'obstruait les narines et j'ai éternué.

De loin nous parvenaient faiblement les trépidations d'un train.

Dep a lâché un juron.

– Qu'est-ce qu'il y a ?

Il a juré de plus belle avant d'ajouter :

– Ne bouge surtout pas !

Sa voix paniquée m'a alarmé.

– Pourquoi ?

– Tu connais un jeu qui s'appelle le Mikado ? On jette une poignée de baguettes par terre et ensuite, on doit les ramasser une par une sans déplacer les autres.

– Venez-en au fait, par pitié.

– Vois-tu, Cal, je veux bien retirer les pierres qui te recouvrent. Le problème c'est que plusieurs d'entre elles soutiennent un énorme rocher en équilibre précaire. À la moindre erreur de ma part, il risque de basculer et... je préfère ne pas imaginer la suite.

Je n'osais plus esquisser le moindre geste. J'ai retenu mon souffle. J'avais soudain une conscience aiguë de la douleur et de la pression sur mon corps.

Dep a commencé à retirer les pierres une par une. Je l'apercevais du coin de l'œil – il procédait en douceur, avec soin. Je l'entendais faire craquer ses doigts et pester entre ses dents.

– Ne bouge pas, répétait-il de temps à autre.

Je ne répondais rien, trop effrayé pour remuer les lèvres.

– Patience, patience, haletait-il tout en poursuivant son délicat travail.

La pression sur l'une de mes jambes a fini par diminuer légèrement.

– Si ta pauvre mère te voyait...

– Ma mère ? ai-je murmuré. Pourquoi vous dites ça ?

– Je pensais à la mienne, sans doute, a-t-il répliqué tristement. Je t'ai déjà raconté que je lui ai brisé le cœur ? J'ai déraillé, je me suis conduit comme un voyou. Quand j'ai fini par me racheter une conduite au bout de longues années, j'avais perdu tout contact avec elle. Elle n'attendait plus rien de moi.

– Vous croyez que vous la reverrez un jour ? Vous en avez envie ?

Il a soupiré :

– Elle n'en a sûrement pas le désir.

Il a soulevé une autre pierre ; mon bras et mon côté gauche étaient enfin libres.

– Le plus difficile, maintenant.

Il a reculé pour étudier les roches toujours en place à la lumière de sa lampe torche.

– Vite, Dep, dépêchez-vous, je ne sens pas mes jambes !

20:57

—————————

– Ça y est. J'ai résolu le problème de l'ultime manœuvre. Je vais d'abord retirer les plus hautes pierres. Lorsque j'arriverai au rocher en équilibre, je m'allongerai sur le dos et je le pousserai avec

138

mes jambes, derrière toi. Si tu roules sur le côté en relevant les tiennes, j'espère qu'il s'écrasera sans te toucher.

Impuissant, incapable de me mouvoir ou de l'aider, je redoutais la suite.

J'ai entendu Dep se tortiller dans l'étroit tunnel jusqu'à ce qu'il finisse par trouver la meilleure position pour exécuter son plan.

– OK, mon garçon. Je ne te garantis rien, mais je me propose d'écarter ce rocher en le propulsant de toutes mes forces. Je compte jusqu'à trois. À trois, je le balance et tu pivotes. Compris ?

– Compris.

J'espérais seulement que, une fois libérées du poids qui les bloquait, mes jambes m'obéiraient.

Dep s'est adossé à la paroi, pieds en l'air, prêt à pousser.

– On y va ! Un, deux, trois !

Dès que la pression s'est relâchée, j'ai produit un effort désespéré pour rouler sur le côté, en pliant mes genoux.

L'énorme rocher s'est écrasé, manquant de justesse mes pieds. Il a atterri avec un bruit sourd et entraîné dans sa chute une cascade de cailloux qui nous ont bombardés.

Peu importe. Nous avions réussi ! Nous étions saufs tous les deux !

21:35

Nous avons repris notre reptation dans le noir, jusqu'à une issue carrée qui débouchait sur le collecteur d'eaux pluviales situé sous la voie de chemin de fer. Au même moment, un train est passé au-dessus de nos têtes dans un cliquetis de ferraille. Je me retrouvais à l'endroit précis où Dep m'avait sauvé, le jour de notre rencontre, quelques mois plus tôt.

– Si tu longes le tunnel dans cette direction sur environ cinq cents mètres, tu arriveras à la verticale du parc. L'ouverture est dissimulée au milieu des buissons. Sortir par là ne présente aucun danger.

– Merci, Dep, ai-je dit, infiniment reconnaissant. Et vous ? Où irez-vous ? Qu'allez-vous devenir désormais ?

Il s'est assis par terre.

– Je vais être obligé de dénicher un autre repaire, a-t-il répondu d'un air profondément triste. Et de tout recommencer à zéro. Je me risquerai peut-être à retourner dans mon antre, un jour, au cas où il y ait des choses à sauver. Tous mes instruments de musique, mes livres, mes tableaux...

– Je suis désolé.

Que dire de plus ? Comment l'aider ? – j'ignorais moi-même où aller.

SEPTEMBRE

Toutefois, je lui ai demandé :
– Est-ce que je peux faire quelque chose pour vous ?

Il a eu un geste vague de la main.
– Ne t'inquiète pas. Le Dépravé va s'en sortir. Comme toujours. Les échecs ne t'abattent que jusqu'au moment où tu décides de ne plus leur laisser de prise. Ça va aller. Quant à toi, mon garçon, tu ferais bien de filer avant qu'on te retrouve. Poursuis ton chemin. Occupe-toi de tes affaires. Oublie-moi.

21 septembre
J −102

Quartier résidentiel

09:38

Après quelques heures de sommeil dans un cabanon tranquille, au fond d'un jardin, il était temps de partir. J'avais eu du mal à m'endormir. Je n'avais cessé de penser à Dep, de me demander où il était, ce qu'il faisait, s'il avait trouvé un endroit où se réfugier.

J'avais songé aussi à mon sosie, Ryan Spencer. Comment entrer en contact avec lui ?

Au moment où je me levais, hésitant sur la direction à prendre, mon portable a vibré. Je l'ai sorti de mon sac. Je venais de recevoir un texto de Boris.

📡 Je V ché W ce mat1. 11h. Pr plan papillon. Tu vi1 ?

📡 OK. A +

12 Lesley Street

11:17

– Qu'est-ce qui t'est arrivé ? a demandé Boris en fronçant les sourcils. On dirait que tu as traversé un cyclone !

Winter a regardé par-dessus l'épaule de Boris pour constater l'ampleur des dégâts. Sa première réaction a été de plisser le nez de dégoût avant de me dévisager avec inquiétude.

Je me suis brossé les cheveux des deux mains, projetant un nuage de poussière autour de moi, et j'ai montré mes bras couverts de bleus et d'écorchures.

– J'ai plutôt eu l'impression d'essuyer un coup de grisou au fond d'une mine !

Puis je leur ai raconté ma soirée catastrophique chez Dep, depuis l'attaque de Triple-Zéro jusqu'à l'effondrement du tunnel et ma nuit dans un abri de jardin.

12:02

Une bonne douche chaude m'a remis d'aplomb. Lorsque j'ai rejoint Boris et Winter, j'ai remarqué qu'ils avaient dessiné un plan de la maison et du jardin d'Oriana de Witt. Ils l'avaient étalé sur la table et étaient en train d'y ajouter, çà et là, quelques détails, afin de définir ensemble la meilleure stratégie. J'ai remarqué que Boris avait apporté son sac de marin.

Il m'a fait signe d'approcher.

– Agissons dès ce soir, a-t-il déclaré d'une voix déterminée.

– Tu es partant ? Vraiment ?

– Tu ne peux pas mener cette opération tout seul, a-t-il répondu en pointant du doigt le croquis. Et puis cet arbre est sûrement assez solide pour nous deux ! Non, je plaisante. Je n'ai pas besoin d'être aussi près de la maison. Tu seras notre sniper solitaire !

Il s'est mis à rire en me tapotant le dos avant d'ajouter :

– Je t'attendrai de l'autre côté de la rue. J'ai repéré une bonne planque. Tu vois ce pavillon, face à celui d'Oriana de Witt ? Le toit du garage me paraît idéal pour installer le récepteur. Tu m'y rejoindras une fois que tu auras introduit le papillon dans la maison.

J'ai jeté un regard furtif à Winter. Elle semblait déçue de ne pas participer à l'action. Mais, à deux, nous courions déjà un risque énorme. Sumo et Kevin effectuaient sans cesse des rondes autour de la propriété de l'avocate.

– Si je comprends bien, ai-je repris, une fois le papillon dans la place, on campe toute la nuit sur le toit du garage voisin à écouter?

Boris a sorti du sac de marin la carabine à air comprimé.

– Exact. J'ai bon espoir qu'Oriana de Witt soit bavarde ce soir. À mon avis, elle est du genre à attendre l'obscurité complète pour mettre au point ses machinations et fondre sur ses proies. Pire qu'un rapace nocturne. Je rattraperai mon manque de sommeil pendant le cours d'histoire demain. Prêt pour un peu d'exercice?

Maison d'Oriana de Witt

20:03

Vêtus de noir de la tête aux pieds, Boris et moi nous sommes accroupis dans l'ombre avant de gagner nos positions respectives.

SEPTEMBRE

Boris a désigné, de l'autre côté de la rue, le garage sur le toit duquel il comptait se poster. Indépendant du bâtiment principal, flanqué d'une clôture en treillis facile à escalader, et dissimulé par l'épais feuillage d'un arbre immense, il offrait effectivement une planque idéale.

Boris s'était équipé d'écouteurs et d'une radio FM qu'il avait réglée sur la longueur d'onde de l'émetteur. Tout en me tendant le sac de marin, il m'a souhaité bonne chance.

La perspective d'espionner Oriana de Witt me rendait nerveux. Non seulement je ne pouvais pas me permettre de rater mon tir, mais je devais compter sur l'avocate ou l'un de ses hommes de main pour nous révéler un détail crucial pendant la douzaine d'heures d'écoute assurées par notre micro émetteur.

Pourtant, malgré ma nervosité, je mourais d'impatience de passer à l'action.

Il me fallait d'abord demeurer invisible. Pas question de me laisser surprendre sur la propriété d'Oriana de Witt. Surtout avec une carabine dans mon sac. En voyant la Mercedes bleu foncé garée dans l'allée, j'ai frissonné.

La voie était libre. Il ne me restait plus qu'à escalader la grille, me faufiler dans le jardin et gagner discrètement le pin.

CONSPIRATION 365

Je m'apprêtais à grimper le long du tronc quand j'ai perçu un grincement derrière moi. La porte d'entrée s'ouvrait. Je n'étais pas visible de là-bas, mais je serais vite découvert si l'un des deux hommes entamait sa ronde dans le jardin.

Dès que j'ai vu apparaître la silhouette massive de Sumo, j'ai compris que c'était exactement ce qui allait se produire !

J'avais étudié son parcours avec soin : il traverserait le jardin de devant, ferait tout le tour de la maison avant de revenir par l'autre côté, jusqu'à la grille de l'entrée. De là, il inspecterait la rue puis rentrerait à l'intérieur.

Mon cerveau carburait à plein régime à la recherche d'une solution. Je ne voulais pas escalader l'arbre tout de suite, de peur que Sumo détecte ma présence.

Ma seule chance de ne pas me faire pincer serait de m'accroupir sous les plus basses branches et de tourner lentement autour du tronc, centimètre par centimètre, au fur et à mesure que Sumo passerait devant moi.

Il avançait à longues enjambées, en sifflotant. De temps à autre, il s'immobilisait pour surveiller les alentours puis reprenait sa ronde.

J'ai commencé ma marche de Sioux au pied de l'arbre, dans le plus grand silence, le sac de marin serré contre ma poitrine.

Sumo s'est éloigné. Il longeait le côté de la maison, en direction du jardin de derrière. C'était le moment d'en profiter. Vif comme l'éclair, je me suis agrippé aux premières branches et j'ai entrepris l'ascension du pin.

Complètement dissimulé par les nouvelles touffes d'aiguilles, je me trouvais en sécurité. Jusqu'à nouvel ordre.

Quelques instants plus tard, Sumo a réapparu de l'autre côté de la maison. Après un rapide coup d'œil dans la rue, il est rentré. La porte a claqué. J'ai soupiré de soulagement.

J'ai continué à grimper et lorsque je me suis enfin positionné à califourchon sur une branche, face au bureau d'Oriana de Witt, j'étais couvert de sueur de la tête aux pieds.

J'ai regardé à travers les barreaux qui protégeaient désormais la fenêtre ouverte. L'avocate lisait, assise à sa table de travail. Ses cheveux roux flamboyaient dans la lumière. Elle avait l'air parfaitement paisible. Et pourtant, s'il n'avait tenu qu'à cette femme diabolique, Gaby et moi serions déjà morts tous les deux ! J'ai serré les dents, m'efforçant de me concentrer sur ma mission.

Bien d'aplomb sur la branche, j'ai appuyé mon dos contre le tronc, de façon à conserver un équilibre parfait. Ensuite, avec les plus grandes précautions, j'ai sorti du sac la carabine à air comprimé que j'ai soulevée à hauteur de mes yeux. Le fût dans la main gauche, l'index droit à côté du cran de sûreté, un œil fermé pour aligner la mire sur ma cible, je me suis entraîné à viser un coin sombre au-dessus de la porte du bureau, sur le mur du fond. C'était l'endroit idéal. Le papillon y passerait totalement inaperçu.

Inutile de perdre davantage de temps. Une fois la carabine chargée, je l'ai calée sur des rameaux, puis j'ai extrait de sa boîte l'émetteur camouflé en papillon de nuit.

Les doigts tremblants et les paumes moites d'angoisse, j'ai actionné le bouton de mise en marche en le pressant avec la pointe d'un trombone avant d'enfoncer le dispositif dans le magasin. J'ai refermé la carabine.

De nouveau, je l'ai positionnée devant mes yeux pour pointer ma cible.

Le projectile devait franchir les barreaux et se coller sur la partie supérieure du mur. Je n'avais pas droit à l'erreur.

— C'est parti, ai-je murmuré.

J'ai respiré à fond, expiré, pressé la détente.

Le bruit assourdi a été immédiatement suivi d'un étrange *cling*. Que s'était-il passé?

Aussitôt, Oriana de Witt a braqué son regard vers la fenêtre.

Je me suis figé. Elle s'est lentement approchée des barreaux. J'entendais le cliquetis de ses talons sur le carrelage.

J'avais mal visé, raté ma chance, gaspillé l'argent de Boris, et en plus j'allais me faire pincer!

Les yeux étincelants de l'avocate ont fouillé l'obscurité tandis que ses lèvres se retroussaient en une grimace mauvaise. L'expression de son visage me donnait la chair de poule.

Je me suis aplati contre le tronc en priant pour qu'elle ne me repère pas.

Et là, je l'ai vu! Le papillon! Sur la branche en dessous de la mienne.

Je n'ai pas osé faire le moindre geste. J'ai attendu une éternité, espérant qu'Oriana de Witt retourne enfin s'asseoir. Tout en fixant le papillon-émetteur, j'ai compris ce qui s'était passé.

Il avait heurté un barreau, ricoché vers moi et fini sa course sur la branche du dessous. Incroyable! Oubliant que cette vieille carabine ne tirait pas droit, j'avais raté mon coup. Par miracle, je disposerais d'une seconde chance. À condition qu'Oriana de Witt s'éloigne de la fenêtre.

Juste à ce moment-là, elle a rejoint sa table de travail. Je me suis faufilé aussitôt sur la branche inférieure pour récupérer le papillon. J'ignorais s'il fonctionnait encore, pourtant j'ai chuchoté à l'intention de Boris :

– Oups, un premier essai pour rien. Mais le prochain sera le bon, ne t'inquiète pas.

De retour à mon poste de tir, j'ai rechargé la carabine puis refermé le canon.

J'ai pris une profonde inspiration, dévié légèrement la carabine vers la gauche... et tiré.

Cette fois, je n'ai distingué aucun bruit bizarre.

J'ai observé ma cible. Le papillon de nuit s'était fixé au mur ! J'avais réussi !

Tout à coup, Oriana de Witt a tourné la tête. J'ai paniqué. Avait-elle entendu quelque chose ? Non, la porte s'ouvrait sur Sumo.

Ils ont entamé une discussion. Le top ! Qu'ils continuent à parler... Le micro émetteur nous rapporterait leurs moindres paroles.

21:16

J'avais hâte de rejoindre Boris pour écouter leur conversation. Pourtant je me suis astreint au calme : agir dans la précipitation risquerait de me faire repérer.

Je suis donc redescendu avec précaution du pin,
branche après branche, dans un silence total, j'ai
traversé le jardin, escaladé la grille et atterri enfin
sur le trottoir.

Une voiture qui arrivait m'a obligé à me cacher
à la hâte derrière un arbre. Ma silhouette vêtue
de noir et portant un sac de sport paraîtrait forcément suspecte.

Une fois la voie libre, j'ai foncé de l'autre côté
de la rue. J'ai scruté les alentours pour m'assurer
qu'il n'y avait personne avant de grimper sur le
toit du garage.

– Je les reçois 5 sur 5, mec! Comme si on y
était, a soufflé Boris.

Je devinais qu'il se retenait de crier victoire.

– Viens écouter! Tu as réussi! L'émetteur fonc-
tionne! On capte tout.

– J'ai failli rater...

– Je sais, s'est moqué Boris. L'impact m'a vrillé
les tympans!

La radio de Boris bourdonnait.

– Tiens, a-t-il lancé en me passant l'un des
écouteurs.

La voix de l'avocate s'est élevée, claire et nette,
couvrant les parasites.

– *Mon client ne peut pas comparaître devant le*
tribunal à cette date.

– C'est elle ! C'est Oriana de Witt, j'en suis sûr !
ai-je chuchoté.

Boris a hoché la tête avec un grand sourire.

– *Il a déjà reçu une convocation pour une autre affaire.*

– De quoi elle parle ?

Mon ami a agité la main pour me faire taire.

– Elle est au téléphone. Écoute.

Apparemment, elle s'entretenait d'un dossier avec un confrère. Aucun rapport avec l'Énigme ou le Joyau Ormond.

Nous avons entendu ses talons claquer sur le carrelage, s'éloigner, revenir. Sa chaise a raclé le sol quand elle s'est rassise.

Puis plus rien...

Le silence a duré quelques minutes. J'ai jeté un coup d'œil impatient à Boris.

– Sumo était dans son bureau, tout à l'heure. Je l'ai vu entrer.

– Oui. Il lui a simplement confirmé que tout était calme et il est sorti. Attends...

Les talons d'Oriana de Witt ont de nouveau claqué sur le carrelage. Mais, cette fois, ils se sont éloignés pour de bon.

Elle avait quitté la pièce.

154

SEPTEMBRE

22:32

Cela faisait plus d'une heure que Boris et moi étions perchés sur le toit du garage. Oriana de Witt n'avait passé que de courts instants dans son bureau. Nous n'avions rien appris de nouveau ou d'intéressant.

Allongé sur le dos, je contemplais les étoiles en songeant au sourire de Gaby quand elle avait trouvé mon dessin. J'avais terriblement envie de la revoir et de l'embrasser.

J'ai repensé aussi à Ryan Spencer. Ne souhaitait-il pas en savoir plus sur moi ? Redoutait-il d'apprendre la vérité ? Je me demandais comment ma mère, ou Ralf, avait réagi en découvrant sa carte de bus dans la boîte aux lettres.

Un grincement de porte. Boris m'a tapoté le bras. Je me suis redressé, attentif.

Oriana de Witt téléphonait.

– *C'est moi. Oui. Tout a été déposé à la Zürich Bank... L'Énigme aussi.*

L'Énigme !

Boris et moi nous sommes dévisagés sans dire un mot de peur de rater la suite.

– *Oui, dans un coffre.*

Boris avait l'air soucieux. Manifestement, l'évocation de la Zürich Bank ne lui plaisait guère.

155

Comment pourrions-nous y récupérer le Joyau et l'Énigme ?

– *J'ai chargé un cryptographe d'étudier les dessins.*

Elle avait fait appel à un professionnel ! Heureusement que Winter avait eu l'idée de trafiquer les croquis !

– *Une fois que nous aurons rassemblé toutes les informations, nous passerons à la phase suivante. Le temps presse. Mon expert s'arrache les cheveux en vain sur l'Énigme Ormond. Cependant, il est convaincu qu'il existe un lien avec la dernière reine des Tudor... Oui... Oui... Absolument ! Pour qui me prenez-vous ? Pour une novice ?*

Elle a raccroché brutalement, sa chaise a raclé le sol puis le claquement de ses talons qui s'éloignaient nous a avertis qu'elle quittait la pièce.

Au bout de deux ou trois minutes, nous avons entendu une porte s'ouvrir, suivie d'un bruit d'eau courante.

– Elle se fait couler un bain !

Boris ne m'écoutait pas. Il désignait le jardin de l'avocate. Entre les feuilles de l'arbre qui nous dissimulait, j'ai aperçu Sumo. Il entamait une nouvelle ronde. Je ne parvenais pas à distinguer ce qu'il tenait à la main. Une arme ?

– Il est parano. Et il a raison. Il sent peut-être qu'il se trame quelque chose de louche.

SEPTEMBRE

Debout à l'entrée de l'allée, Sumo surveillait la rue. Il ne pouvait pas se douter de notre présence sur le toit du garage, puisque le feuillage nous abritait. Pourtant, j'avais peur. Ce type était un professionnel exercé à repérer la moindre menace potentielle. S'il découvrait que Boris et moi avions placé un mouchard dans le bureau pour espionner sa patronne, je ne donnais pas cher de notre planque.

Dès qu'il a fait demi-tour, j'ai respiré à nouveau. Il est rentré dans la maison.

Soulagés, nous avons reporté notre attention sur la radio. L'avocate chantait dans sa baignoire. Le résultat était atroce.

– On dirait qu'elle se gargarise, ai-je plaisanté.

– Ou plutôt qu'elle se noie, a renchéri Boris.

– Et si elle se couche après son bain ? me suis-je inquiété. On ne va quand même pas passer une nuit entière à l'écouter ronfler jusqu'à ce que la pile de l'émetteur soit morte !

– Relax. C'est une femme active. Je parie qu'elle ne va pas tarder à sortir de son étuve. Tu l'as déjà espionnée, tu sais qu'elle se couche tard.

Il avait raison. L'horrible gargouillis continuait. J'allais baisser le son quand j'ai distingué la voix de Sumo.

– *Hé, madame ! Vous êtes là-haut ?*

Les épouvantables trémolos se sont arrêtés net.

– *Je suis dans mon bain, Cyril.*

Boris et moi nous sommes dévisagés, incrédules. Sumo n'avait vraiment pas une tête à s'appeler Cyril !

– *Vous devriez venir,* a repris la voix un peu moins étouffée de Sumo. *Il y a un problème.*

Nous avons entendu un clapotement. L'avocate s'agitait dans sa baignoire.

– *Quel problème, Cyril ? Je n'ai aucune envie d'écourter mon bain.*

– *Une transmission pirate. À moins que vous n'émettiez sur 33 mégahertz depuis votre salle de bains...*

Boris et moi avons échangé un coup d'œil horrifié.

– *Mais qu'est-ce que vous racontez ? Je me relaxe juste quelques minutes.*

– *Et moi, je fais juste mon boulot.*

Oriana de Witt a grommelé avant de déclarer :

– *Attendez-moi dans mon bureau. J'arrive dans cinq minutes.*

L'eau s'écoulait à présent. L'avocate sortait de sa baignoire.

Quand sa voix a de nouveau retenti, elle nous est parvenue beaucoup plus forte et claire. Elle était de retour dans le bureau.

– *Eh bien, qu'y a-t-il Cyril ?*

– *Un appareil transmet du son vers l'extérieur.*

Nous étions découverts ! Comment Sumo avait-il suspecté la présence de notre émetteur ? Sidérés, nous nous sommes préparés mentalement à déguerpir. De son côté, Oriana de Witt bombardait Sumo de questions.

– *Quoi ! Vous voulez dire que ma maison est placée sur écoute ? Comment est-ce possible ? Comment le savez-vous ? Pourquoi ne l'avez-vous pas empêché ?*

Sumo semblait furieux, lui aussi.

– *J'effectuais ma ronde dans le jardin avec mon scanner quand j'ai capté la transmission. Cessez de mettre en doute mon boulot !*

Un scanner ? Voilà « l'arme » que Sumo tenait à la main...

– *C'est encore un coup de ce Vulkan Sligo ! Je parie que...*

– *Pas de noms ! Attention au mouchard !*

– *Au diable le mouchard ! Tout le monde sait que Vulkan Sligo est un truand. Vous m'entendez, Sligo ? Vous n'allez pas vous en tirer ainsi !*

– *Rien ne prouve que c'est lui,* a repris Sumo.

– *Alors c'est Drake Bones ! Sournois personnage ! Je n'ai aucune confiance dans cette crapule. S'il croit...*

Un drôle de bruit a interrompu ses paroles. Des objets se sont écrasés sur le carrelage et nous avons perçu des murmures énervés.

Les yeux écarquillés, Boris et moi tentions d'imaginer la scène. Que se passait-il ?

L'avocate s'est soudain raclé la gorge puis elle s'est exprimée d'une voix si basse qu'on ne distinguait plus ses paroles.

Au bout de quelques instants, de drôles de petits bruits électroniques ont retenti, qui semblaient se déplacer dans la pièce.

Tout à coup, j'ai remarqué que Boris rangeait ses affaires.

– Sumo a ressorti son scanner ! On a intérêt à déguerpir, a-t-il expliqué, l'air paniqué. Je suis sérieux, Cal. Lâche cet écouteur et filons !

À cet instant, la voix de Sumo a retenti :

– *Je capte un signal très puissant ici. L'émetteur doit se trouver quelque part par là, en haut du mur.*

Le bruit d'une chaise raclant le sol m'a écorché l'oreille.

– *Ne me dites pas que cet insecte est un émetteur !*

Après un craquement, la transmission a été coupée. Un son strident m'a alors transpercé le tympan.

J'ai arraché l'écouteur d'un coup sec.

– Ils l'ont écrasé.

SEPTEMBRE

Boris a attrapé la radio, récupéré les deux écouteurs, puis s'est relevé tout en balançant le sac de marin sur son épaule.

– Filons en vitesse! a-t-il conseillé en se laissant glisser le long de la gouttière.

Je me suis redressé pour le suivre mais je me suis coincé le pied à mi-hauteur avant de m'écrouler au sol.

Boris a rebroussé chemin pour m'aider à me relever.

– Allez, viens! Cours!

Et, m'attrapant par le bras, il m'a entraîné à sa suite.

22 septembre
J –101

00:12

Boris a jeté ses affaires par terre avant de s'effondrer sur le carré de pelouse. Nous étions arrivés au pied de l'immeuble de Winter, tous les deux complètement épuisés.

Lorsqu'il a enfin retrouvé son souffle, Boris s'est assis en secouant la tête.

– La Zürich Bank... On est cuits, mec.

Ce n'était pas du tout ce que j'avais envie d'entendre.

– Tu ne connais pas la Zürich Bank? a-t-il ajouté en soufflant. Les salles des coffres sont renforcées de béton et d'acier. À l'épreuve des bombes, des incendies, des tremblements de terre. En plus, elles sont protégées par un système de sécurité biométrique.

– Un système de sécurité biométrique ?

– Oui. Reconnaissance des empreintes digitales, plus un code secret.

Autant d'obstacles infranchissables.

Cette fois, Oriana de Witt avait protégé ses arrières.

– Qu'est-ce qu'on fait alors ?

Avant même que Boris ait eu le temps de me répondre, mon portable a vibré dans ma poche.

– Quoi de neuf ? a demandé Winter. Vous avez obtenu des infos ?

– On est en bas de chez toi. On monte et on t'explique.

00:25

Découragé, je me suis assis à la table. Apprendre que l'Énigme et le Joyau se trouvaient dans un coffre-fort inviolable de la banque la plus sûre de Richmond m'avait complètement miné.

Boris ne m'avait pas accompagné. Il avait préféré rentrer chez lui, en emportant la carabine à air comprimé.

D'abord accablée par la mauvaise nouvelle, Winter a soudain repris espoir.

– Et Dep ? Il pourrait nous aider ?

– Mais j'ignore où le joindre depuis que son repaire a été découvert.

Je suis allé à la fenêtre.

– De toute façon, ai-je repris, je ne pense pas que percer ce genre de coffre-fort soit dans ses cordes ni qu'il en ait envie.

– Bon. Attaquons-nous à autre chose, alors.

Winter s'est levée d'un bond, a ouvert un tiroir de son bureau et en a sorti une feuille de papier qu'elle m'a tendue.

*Un amour dont les œuvres doivent toujours rester secrètes.

Amor et suevre tosjors celer.
moyen français
voir poème « La Chastelaine de Vergi »
XIIIᵉ siècle

– C'est l'écriture de miss Sparks, ta préceptrice ? ai-je supposé.

Winter a acquiescé.

– Oui, elle a traduit l'inscription. Qu'est-ce qu'elle signifie, à ton avis ?

– Il y a un amour secret. Et les œuvres de cet amour doivent elles aussi demeurer secrètes, ai-je suggéré. Peut-être s'agit-il de lettres ? Et si cela désignait l'Énigme Ormond ?

– Je commence à voir en toi une créature douée d'intelligence, a plaisanté Winter. Ton idée me plaît. En effet, cette phrase pourrait faire référence à l'Énigme Ormond. Quand on pense au mal que son auteur – Black Tom ou un autre – s'est donné pour en dissimuler le sens ! Toute cette affaire de code à double clé. Difficile de rendre un texte plus mystérieux. À l'époque d'Elizabeth Ière, les gens risquaient la décapitation s'ils étaient jugés coupables. Une bonne raison de rester discrets. Si seulement on savait ce que sont ces fameuses « œuvres ».

Elle a penché la tête sur le côté.

– Les devises étaient très prisées au Moyen Âge : elles ornaient les blasons. Toutes les grandes familles nobles en possédaient une.

– Mais ces mots ont été gravés avec beaucoup de soin à *l'intérieur* du Joyau Ormond, lui ai-je rappelé. On les a dissimulés exprès. Ils sont uniquement destinés à des yeux avertis.

– Tu as raison. D'ailleurs, ce sont souvent les choses cachées qui ont réellement de l'importance.

Elle m'a tendu un autre papier, une page web imprimée.

– Lis. Tu découvriras une facette inconnue de Black Tom Butler.

J'ai parcouru en vitesse les premiers paragraphes avant de m'arrêter sur le dernier.

– Il avait douze enfants illégitimes ?

– Un vrai tombeur, hein !

– Parler d'enfants « illégitimes » est vraiment étrange. Quiconque naît a le droit légitime d'exister.

Une étincelle s'est allumée au fond des yeux sombres de Winter.

– Et si c'était à eux que la devise faisait allusion ? Les « œuvres » de l'amour, les enfants nés hors des liens légitimes du mariage !

Soudain l'étincelle dans son regard s'est éteinte.

– Non. Impossible. Leur existence n'avait rien de secret.

Winter a bâillé avant de brancher la bouilloire.

J'ai changé de sujet :

– Quand est-ce que tu comptes retourner à l'entrepôt de Sligo ?

Elle m'a dévisagé d'un air grave et tendre.

– Tu sais la qualité que je préfère chez toi, Cal ? Ta persévérance. Tu n'abandonnes jamais et ça me plaît. On a tous les deux la même volonté d'aller au bout de ce qu'on a entrepris, quoi qu'il arrive. J'étais convaincue que je trouverais la voiture. À présent, je dois l'examiner en détail pour comprendre une fois pour toutes ce qui s'est réellement passé. Il le faut.

– Je t'aiderai.

– Il y a un autre problème.

– Je t'écoute.

– Je veux consulter le testament de mes parents. M'assurer de leurs dernières volontés et vérifier leurs signatures. J'ai besoin de constater de mes propres yeux qu'ils ont volontairement légué leurs propriétés et la majeure partie de leur argent à Vulkan Sligo. En fait, je me demande depuis longtemps... si ce testament n'est pas un faux. Si Sligo n'aurait pas imité les signatures de mes parents. Il gérait leurs biens immobiliers, leur fortune... Trafiquer le document ne présentait pas de difficulté particulière. Et tu sais mieux que moi que Sligo ne s'embarrasse pas de scrupules.

Cette révélation de Winter changeait tout : jusque-là, j'ignorais que la mort de ses parents avait autant profité au truand.

– À ton avis, il aurait un rapport avec leur accident ?

La bouilloire s'est mise à siffler. Winter a pioché deux sachets de thé dans son placard.

– Cette hypothèse m'obsède depuis un an. Voilà pourquoi je tenais tant à retrouver la voiture. Pour contrôler par moi-même que rien n'a été trafiqué, qu'il s'agissait bien... d'un simple accident. Tant que je n'en aurai pas la confirmation, je ne vivrai pas tranquille.

07:02

Sécurité biométrique. Je me suis réveillé sur le canapé de Winter avec ces deux mots en tête.

J'avais besoin de prendre l'air. Lorsque je suis sorti sur le toit, un avion traversait le ciel bleu pâle, zébré de nuages argentés. Malgré l'heure matinale, la ville s'animait déjà.

De retour dans le studio, je me suis assis sur le canapé avec mon portable pour chercher des informations sur le Net.

Il y avait de quoi désespérer. Bien sûr, quelques petits génies avaient été capables de duper des scanners d'empreintes digitales – comme ce type qui avait fabriqué un moule à partir d'une empreinte laissée sur un verre – mais ils avaient disposé de beaucoup de temps et de moyens techniques sophistiqués.

Toutefois, en poursuivant mes lectures, j'ai commencé à entrevoir une possibilité. Je devais en discuter avec Boris pour en avoir le cœur net. Je l'ai aussitôt appelé.

– Quoi ? Tu veux piquer les empreintes d'Oriana de Witt ? s'est-il exclamé. Et comment tu comptes t'y prendre ? Je vois le tableau d'ici : « Excusez-moi, m'dame, pourriez-vous découper une tranche de votre index droit ? » Hé, tu rêves, mec !

– J'ai effectué des recherches. La manœuvre est possible sans bistouri !

– OK, en admettant qu'on arrive à récupérer ses empreintes sans l'amputer d'un doigt, comment fera-t-on ensuite pour le code secret ? Le numéro du coffre sécurisé ?

– Je n'ai pas oublié, rassure-toi. Chaque chose en son temps. Si je réussis à obtenir une empreinte d'Oriana de Witt exploitable sur un objet facile à emporter, je me servirai de super-glu pour produire une réaction chimique avec la graisse naturelle de son empreinte.

– Respect, mec. Tu m'avais caché tes talents scientifiques.

Boris s'est tu un instant. Il réfléchissait.

– Tu obtiendras une copie de l'empreinte digitale que tu fixeras ensuite sur ton doigt grâce à un film pour berner le scanner ?

– En théorie. La reproduction de l'empreinte devrait être assez fidèle pour tromper le scanner de la banque. Enfin, je pensais plutôt confier cette tâche à Winter. Imagine son look avec une perruque rousse, des grosses lunettes de soleil violettes, des talons hauts et un immense foulard léopard!

– Ton plan me paraît crédible, Cal. Tu n'as plus qu'à voler l'empreinte digitale d'Oriana de Witt...

26 septembre
J -97

Dans les rues de Richmond

1 4:0 0

Boris m'avait prêté son vélo et déniché un endroit où passer la nuit quand je ne dormais pas chez Winter.

Depuis plusieurs jours, je pistais Oriana de Witt dans l'espoir de récupérer ses empreintes. Chaque fois qu'elle sortait de chez elle avec sa Mercedes bleu foncé, je jaillissais de ma cachette dans le jardin d'en face, sautais sur le vélo de Boris et la suivais à bonne distance. Dès qu'elle se déplaçait à pied, la filature était plus aisée. Ses épais cheveux roux me permettaient de la repérer au milieu de la foule.

Je l'ai ainsi observée se rendre chez le coiffeur ou à son bureau dans le centre-ville, déjeuner avec des clients, faire du shopping. Malheureusement, il m'arrivait souvent de perdre sa voiture de vue.

Et puis j'avais un autre problème de taille : Sumo, qui ne s'éloignait jamais de sa patronne.

29 septembre
J –94

12 Lesley Street

10:12
_____

– Ah, te voilà enfin ! Viens vite t'asseoir ! s'est écriée Winter en s'effaçant pour me laisser entrer.

L'excitation vibrait dans sa voix. Je n'ai pu retenir un sourire.

Au téléphone, elle m'avait annoncé avoir fait une découverte importante ; je devais rappliquer immédiatement.

Elle a sauté jambes croisées sur le canapé, à côté de moi, avant de poser son ordinateur portable sur ses genoux.

– J'ai quelque chose à te montrer. Tu vas voir.

Je l'ai observée tandis qu'elle ouvrait un site Internet et cliquait sur des images. Des paillettes étincelaient dans ses longs cheveux indisciplinés – elle n'en avait pas mis depuis longtemps –, et une ombre à paupières turquoise adoucissait ses yeux sombres.

Je me suis penché. L'écran s'est rempli de vignettes représentant la reine Elizabeth Ière. Winter en a agrandi une avant de tourner l'ordinateur vers moi, le visage rayonnant.

Il s'agissait du portrait d'une adolescente aux cheveux roux dorés flottant sur les épaules, et vêtue d'une robe bleu foncé brodée de petites roses. Elle portait plusieurs rangs de perles autour du cou, ainsi que des pendentifs en perles aux oreilles.

Mais ce n'étaient pas ces bijoux qui attiraient le regard. Au creux de son bras, un petit singe blanc à la physionomie quasi humaine jouait avec une minuscule balle dorée. Un collier, doré lui aussi, enserrait son cou. Et cet animal ressemblait trait pour trait à celui que mon père avait dessiné !

– Le singe ! Tu l'as trouvé.

– Parfaitement. C'est la jeune Elizabeth, m'a expliqué Winter avec un sourire de triomphe. Avant qu'elle devienne reine. Regarde la légende : « Portrait de la princesse Elizabeth, 1547 ».

Dans la main droite, la jeune fille tenait un livre crème et or, décoré de la lettre « E » ; dans la gauche, un médaillon en émail et pierres précieuses. J'en ai eu le souffle coupé : il était orné d'une rose...

– Eh oui, a répété Winter en hochant la tête. C'est exactement le même motif qu'au dos du Joyau Ormond : une rose. Comme celle que le garçon porte à la main, sur le dessin de ton père. Tu t'en rappelles ?

– Comment as-tu découvert ce portrait ?

– J'étais certaine d'avoir déjà vu ce singe blanc quelque part. Mais où ? Je ne m'en souvenais pas. Puis, tout à coup, la mémoire m'est revenue : je l'avais aperçu dans un catalogue de vente d'objets d'art. Régulièrement, des grandes familles de l'aristocratie anglaise sont obligées de vendre une partie de leur patrimoine pour payer leurs impôts, ou tout simplement maintenir leur train de vie. Sligo reçoit les catalogues des ventes aux enchères haut de gamme. Depuis quelque temps, il s'intéresse beaucoup à l'art.

Winter a dû remarquer mon air sceptique car elle a précisé :

– Pas à l'art lui-même, mais à la valeur marchande des œuvres et au prestige qu'elles confèrent. En réalité, je crois qu'il s'est déjà « procuré » plusieurs toiles de valeur.

– Procuré ?

– Il les a volées, probablement. Je suis passée le voir, l'autre soir. Des types que je ne connaissais pas déchargeaient plusieurs tableaux à l'arrière de sa maison. Il devait être aux alentours de minuit. Je doute que ce soit une heure pour livrer des tableaux, pas toi ?

J'ai été intrigué qu'elle rende visite à Sligo si tard. Quel jour était-elle allée chez lui ?

– Bref, a-t-elle poursuivi, j'adore feuilleter les catalogues de ventes aux enchères, on y découvre parfois des peintures incroyables. J'avais dû admirer ce portrait et l'oublier. J'ai effectué des recherches à son sujet : il est apparu sur le marché il y a un an environ. Jusque-là, son existence était à peine mentionnée.

J'ai étudié à nouveau le portrait de la jeune fille. Recelait-il un indice ? Et à quoi mon père faisait-il allusion en dessinant le garçon à la rose ?

– Si seulement on possédait encore le Joyau ! Le médaillon qu'elle tient lui ressemble à s'y méprendre. Même monture en or, même forme, même taille.

– Sauf que sur le dos du Joyau Ormond, on compte un bouton de rose supplémentaire, a précisé Winter. Sinon, on dirait effectivement le même bijou. En tout cas, c'est génial qu'on ait trouvé ce portrait !

Elle a consulté la pendule.

– Au fait, tu as besoin d'aide pour obtenir les empreintes d'Oriana de Witt ?

13:25

Nous avons suivi l'avocate jusqu'à un café qui, je le savais désormais, était un de ses lieux de prédilection. Postés devant une boutique de surf, nous l'avons vue ressortir un peu plus tard et descendre la rue.

– Tu gardes le vélo ? ai-je demandé à Winter.

– Oui, vas-y, suis-la !

J'avais pensé m'introduire à l'intérieur du café pour subtiliser la tasse dans laquelle elle avait bu, puis abandonné cette idée. Je devais m'assurer d'obtenir une bonne empreinte de son index droit.

Oriana de Witt est entrée dans une boutique de mode, au coin de la rue. Je l'ai observée à travers les sacs à main et les chaussures exposés dans la vitrine. Elle déambulait dans le magasin, soulevait des sacs pour les examiner avant de les reposer. C'était l'occasion ou jamais.

J'ai pénétré à mon tour dans la boutique, les mains dans les poches, en m'efforçant de passer inaperçu. Heureusement, Oriana de Witt accaparait l'attention de la vendeuse.

Du coin de l'œil, je l'ai vue saisir à deux mains un sac en cuir marron. Parfait. Elle laisserait une belle empreinte sur la surface vernie. La vendeuse lui a ensuite proposé un modèle argenté posé un peu plus loin. Toutes deux se sont écartées, j'avais le champ libre.

D'un mouvement vif, prenant soin de ne pas toucher le flanc du sac, j'ai saisi mon butin et filé vers la sortie.

Dès que j'ai franchi les bornes antivol, l'alarme s'est déclenchée.

Je me trouvais déjà dehors.

– C'est l'ado-psycho! a crié une voix.

La vendeuse et Oriana de Witt vociféraient toujours dans mon dos tandis que je tournais à toute allure à l'angle de la rue. Quand elle m'a vu, Winter s'est relevée d'un bond.

– Ne touche surtout pas les côtés du sac! ai-je hurlé en le lui donnant. Il y a ses empreintes dessus. Dépêche-toi! On me poursuit!

Winter l'a attrapé par l'anse.

Au moment où j'enfourchais le vélo, j'ai vu les yeux de mon amie s'écarquiller de terreur.

– Attention! Derrière toi!

Trop tard. Juste comme je démarrais, on m'a percuté et plaqué au sol. Ma tête a violemment heurté le trottoir.

SEPTEMBRE

Lorsque mes paupières douloureuses se sont ouvertes sur un carrelage rouge et noir, j'ai compris que j'avais de sérieux ennuis. Mon cerveau émergeait péniblement des profondeurs de l'inconscience, torturé par une voix grinçante qui criait :

– Cette saleté de vermine me pourrira donc toujours la vie ? Il ne nous reste que trois mois et les indices n'ont ni queue ni tête ! Le cryptographe est un incapable ! Et ce morveux s'obstine à se mettre en travers de mon chemin !

Elle m'a décoché un coup de pied dans la jambe.

– C'est si compliqué de se débarrasser d'un gamin ?

J'ai tenté de me redresser. Mais, quand j'ai voulu bouger, je me suis rendu compte que j'avais les pieds et les mains attachés.

Pour la deuxième fois en deux semaines...

Soudain, quelqu'un m'a soulevé brutalement pour me remettre debout. Oriana de Witt a passé son foulard léopard autour de mon cou et s'est mise à tirer dessus comme une enragée.

– Aïe ! Vous m'étranglez !

– Parfaitement ! a-t-elle hurlé en tirant plus fort.

Son visage furibond avait pris une teinte rouge et elle postillonnait.

– Kevin ! a-t-elle aboyé.

Elle m'a relâché ; je suis tombé en avant, crachant, toussant, à moitié étouffé.

– Fouille-moi ça. Vérifie que ça ne cache rien.

Ça ! Comme si j'étais une chose !

– Je vais me débarrasser de toi une bonne fois pour toutes, a-t-elle menacé après la fouille de son homme de main.

Puis elle m'a relevé en m'agrippant par la capuche de mon sweat.

– On va t'emmener dans un endroit d'où tu ne reviendras jamais. Tu m'as coûté une fortune. Désormais, tu ne te mêleras plus de mes affaires.

Sur ce, elle m'a giflé de toutes ses forces. Je tremblais de peur et j'avais des élancements terribles à la tête. Mes pieds entravés me gênaient pour garder l'équilibre. J'ai tenté un coup de bluff :

– Mes amis savent où je suis. Vous ne vous en tirerez pas.

– Oh, mon Dieu ! J'ai peur ! a-t-elle ricané.

Puis elle s'est tournée vers Kevin :

– Larguez-moi ça dans la Dingo[1] Valley. Là où vous vous êtes débarrassé de l'autre...

– Mais, madame, comment...

– Comment quoi ? a-t-elle grondé. Il sera mort quand vous vous débarrasserez de lui.

1. Le dingo est un chien sauvage d'Australie.

– Vous ne pouvez pas faire ça! me suis-je écrié. Vous possédez tout ce que vous vouliez. Vous avez volé le Joyau et l'Énigme. Vous disposez des dessins de mon père. Qu'est-ce qu'il vous faut de plus?

Elle m'a poussé vers Kevin sans me prêter la moindre attention.

– Je vous conseille d'être plus efficace que les deux imbéciles que vous avez chargés de l'échange avec la gamine. Pas de fiasco cette fois! Compris? lui a-t-elle craché.

Kevin a grommelé une réponse. L'avocate a manqué dégonder la porte de son bureau et hurlé :

– Cyril!

Quelques secondes plus tard, j'étais traîné par Sumo et Kevin dans les escaliers, puis derrière la maison où une berline gris clair attendait à côté de la Mercedes bleu foncé d'Oriana de Witt. Sumo a ouvert le coffre, m'a soulevé d'une main et jeté à l'intérieur. Le coffre s'est refermé. Je me suis retrouvé dans le noir, avec une désagréable impression de déjà-vu.

– Laissez-moi sortir! Vous n'avez pas le droit!

– Ah oui? Et qu'est-ce que tu comptes faire? Appeler les flics? a ricané Sumo.

J'ai été bringuebalé de gauche à droite quand la voiture a démarré, viré puis accéléré.

Pour moi, tout était fini. La tristement célèbre Dingo Valley se situait en plein milieu du désert. On affirmait qu'il y faisait si chaud que les oiseaux tombaient raides en plein vol. Quant aux voyageurs victimes d'une panne de voiture, on les retrouvait morts de soif. Parfois, il s'écoulait plusieurs semaines avant qu'un véhicule ne passe. Je n'avais plus aucun espoir. J'imaginais déjà quelqu'un découvrant par hasard mon squelette desséché dans quelques années.

En attendant, je suffoquais de chaleur dans ce coffre. Les bras et les jambes entravés, je me cognais contre la tôle à chaque cahot. Et je perdais connaissance de temps à autre à cause du manque d'air.

23:21

Au bout de plusieurs heures interminables, j'ai commencé à trembler. Si le désert est torride le jour, il devient dangereusement glacial la nuit.

Le trajet dans le coffre avait beau être abominable, j'aurais voulu qu'il dure toujours. Je n'étais pas pressé d'arriver. Finalement, la voiture s'est arrêtée.

J'ai tenté d'élaborer un plan d'évasion. Mais que faire? Pieds et poings liés, j'étais impuissant.

SEPTEMBRE

Un courant d'air froid m'a brusquement enve-
loppé. On ouvrait le coffre. Kevin s'est penché sur
moi. Je distinguais mal son visage dans le noir. Il
était seul.

– Abandonne-moi ici, Kevin, l'ai-je supplié alors
qu'il m'agrippait. Je t'en prie. Tu n'es pas obligé de
me tuer. Elle ne le saura jamais.

Il m'a jeté par terre sans rien dire. Son silence
m'effrayait. Devant moi, je n'apercevais qu'une
ligne de crêtes et, au-dessus, le ciel étoilé.

– Remonte en voiture et va-t'en, ai-je continué. Tu ne voudrais pas avoir ma mort sur la
conscience, hein ? Kevin, tu te souviens du soir où
je t'ai sauvé, quand ces types t'ont attaqué devant
le casino ? Tu ne peux pas me tuer.

– Je ne te dois rien, a-t-il grommelé.

– Bien sûr, Kevin. Mais cette femme est un
monstre. Pourquoi tu continues à prendre des
risques pour elle ? J'ai entendu comment elle te
parle. Tu mérites mieux, Kevin.

Il m'a fixé en silence. Malgré le froid de la nuit,
la sueur dégoulinait sur son front comme s'il
venait de courir un marathon.

– Je sais quelque chose, et elle ignore que je suis
au courant. Je pourrais...

– Quoi ? ai-je demandé, histoire de gagner du
temps. Qu'est-ce que tu as appris sur elle ?

– La ferme! a-t-il ordonné d'une voix soudain très dure.

Un éclair a traversé son regard. Il s'est penché à l'intérieur de la voiture pour y saisir un revolver.

– Ne fais pas ça!

– Je t'ai dit de la fermer! a-t-il grondé en visant ma tête. Pigé?

Agenouillé sur le sol, environné des bruissements du désert, j'ai attendu la mort. J'ai pensé à ma mère, à Gaby, à Boris et à Winter.

Un coup de feu a éclaté.

30 septembre
J -93

Dingo Valley

10:05

Je transpirais. J'avais mal aux poignets, mal aux jambes. Et j'avais soif. Une soif épouvantable. J'ai tenté d'ouvrir les yeux. Mes paupières semblaient soudées. Ma bouche était tellement sèche que je parvenais à peine à déglutir. Mais j'avais survécu. Couché à plat ventre dans la poussière rouge de la Dingo Valley, j'étais vivant. Vivant.

J'ai craché la poussière collée à ma langue et roulé sur le dos, puis je me suis aussitôt remis à plat ventre pour fuir la lumière aveuglante du soleil. J'avais terriblement mal aux yeux. Ils étaient secs, pleins de sable.

Effrayé à l'idée de ce que je risquais de découvrir, j'ai lentement porté la main à ma tête, sur le côté droit, là où la détonation avait retenti. J'ai tâté mon crâne avec précaution. Il n'y avait pas de plaie, pas de sang. Ensuite j'ai remarqué sur le sol un long trait, droit et mince. S'agissait-il de la trace de la balle ?

Je n'étais pas blessé, juste largué en plein désert, pieds et poings liés. Liés ? Mais non ! Je n'étais plus attaché ! Les cordes gisaient par terre – on les avait coupées avec un couteau. J'ai réussi à me mettre debout.

Quelqu'un m'avait libéré. Qui ? Kevin ?

J'ai observé les alentours. Il n'y avait pas âme qui vive. Rien que de la poussière rouge à perte de vue, ponctuée çà et là de touffes d'herbes jaunes, desséchées.

Sans eau et sans nourriture, j'étais condamné. J'ai cherché des yeux un abri. En vain. Découragé, je me suis allongé sur le dos en plissant les paupières.

Dans le ciel, au-dessus de moi, deux aigles décrivaient des cercles. Ils attendaient peut-être que mes dernières forces m'aient abandonné pour m'attaquer ? Je pouvais rester ici et agoniser à terre, ou mourir debout en tentant de sauver ma peau. À moi de choisir.

Je me suis relevé et mis en marche.

12:00

En fait, il existait une route. Presque invisible, sous la poussière rouge. Si je voulais avoir une chance de croiser quelqu'un, j'avais intérêt à ne pas m'en éloigner.

Chaque pas m'était pénible. J'avais la langue aussi dure qu'une vieille semelle en cuir, les lèvres gercées, brûlées, crevassées aux commissures. J'ai tiré ma capuche le plus possible pour me protéger du soleil implacable.

Je me forçais à avancer depuis des heures.

Le paysage ne changeait pas. Toujours cette même poussière à l'infini, ces millions de cristaux microscopiques étincelant sous le soleil de plomb, ces rares touffes d'herbes décolorées. De temps à autre, je repérais des os. Aucune créature ne vivait dans ce désert, à l'exception des aigles et des corbeaux. Même les dingos évitaient de s'y aventurer.

Mes pieds enflaient. Mes talons se couvraient d'ampoules.

Comme mes chaussettes glissaient, je me suis assis pour les remonter. En retirant ma basket gauche, j'ai remarqué une trace noire sur ma cheville. Surpris, j'ai plissé les yeux pour y voir plus clair.

CCF 291245

Des lettres? Des chiffres? Je distinguais mal l'inscription. Qui avait écrit sur ma peau à l'encre noire? J'ai examiné ma chaussette. Elle était juste couverte de poussière rouge. L'encre, qui paraissait indélébile, n'avait pas déteint dessus.

Je me suis rechaussé et remis en marche.

Tout à coup, j'ai entendu un bruit. J'ai d'abord cru qu'il s'agissait du sang battant contre mes tempes. Combien de temps tiendrais-je ainsi? Cependant le son persistait, s'amplifiait. Je me suis immobilisé pour mieux l'écouter.

C'était un bruit de moteur! Un brouillard rouge se levait à l'horizon. Une voiture roulait dans ma direction!

Je me suis traîné au milieu de la route en moulinant des bras comme un dément.

– Hé! Par ici! Stop! Arrêtez-vous!

J'essayais de crier, mais les mots qui sortaient de ma gorge n'étaient que d'affreux croassements.

J'ai retiré mon sweat pour l'agiter en l'air.

Un vieux 4x4 approchait au milieu d'un nuage de poussière. Quand il est arrivé près de moi, j'ai titubé à sa rencontre en faisant des signes des deux mains. Je ne voulais surtout pas effrayer le conducteur.

SEPTEMBRE

Le 4x4 a stoppé à quelques mètres.

– De l'eau, ai-je supplié. De l'eau.

La portière du côté du passager s'est lentement ouverte. Je ne distinguais rien à travers le pare-brise poussiéreux ; j'ai contourné le véhicule et j'ai enfin vu le chauffeur, un homme ratatiné, au visage tanné à moitié dissimulé sous un vieux chapeau cabossé, les mains crispées telles des serres sur son volant.

– V'là une bouteille d'eau, fiston. Grimpe et sers-toi.

Il n'a pas eu besoin de me le répéter. Je me suis hissé à l'intérieur de la cabine crasseuse du 4x4 en écartant les saletés qui traînaient par terre, et écroulé sur le siège avant d'attraper la bouteille. J'ai dû avaler l'eau lentement tant ma gorge était desséchée.

– Eh ben, t'avais soif, petit, a gloussé le vieux.

Il avait des dents jaunes et cassées. Mais, à mes yeux, son visage ravagé était la plus belle chose au monde.

– T'es là en vacances ?

Je l'ai observé, interloqué. Parlait-il sérieusement ?

Il a rejeté la tête en arrière et éclaté d'un rire perçant.

– Si tu veux un peu plus d'eau, y a une autre bouteille.

– Merci, il faut d'abord que je passe un coup de fil.

J'avais toujours mon portable sur moi, seulement il ne captait aucun signal. Et la batterie était presque à plat.

– Où tu vas comme ça ?

– Là où vous m'emmènerez. Là où je pourrai manger et me reposer, après avoir contacté mes amis.

Le vieux a redémarré et dit :

– Mon nom, c'est Stanley. Mais tout le monde m'appelle Snake.

– Moi, c'est Tom.

– Je fais de la prospection. Y avait de l'or ici, dans le temps. Depuis qu'y a plus d'eau pour le laver, on cherche des saphirs, mon associé et moi. Qu'est-ce que c'est ce tatouage sur ta cheville ?

« Il a l'œil », ai-je pensé, en remarquant que ma chaussette avait glissé.

– Juste un numéro que j'ai peur d'oublier.

– Un numéro de téléphone ? Au cas où tu te perdrais ? s'est-il esclaffé.

Mal à l'aise, je me suis agité sur mon siège. Même si j'étais soulagé d'avoir été sauvé, le rire grinçant de ce type ne me plaisait pas.

– Une chance que je sois passé dans le coin, a-t-il déclaré comme s'il lisait dans mes pensées. Pour toi. Et pour moi.

SEPTEMBRE

Je lui ai jeté un bref regard en biais. Sa dernière réflexion me déroutait.

– On cherchait le filon de Lasseter[1] la première fois qu'on est venus ici. Moi et mon associé. Y a des années...

Je ne parvenais pas à me concentrer sur les explications de Snake. Je me demandais si Winter avait réussi à s'enfuir avec le sac en cuir, et si les empreintes d'Oriana de Witt seraient exploitables. J'étais impatient de l'appeler.

– Quand est-ce qu'on arrive ? me suis-je enquis.

– On y est presque. Si tu regardes bien, tu peux distinguer les maisons droit devant.

Effectivement, au bout de la piste, j'apercevais des toits et des arbres. J'allais enfin contacter mes amis et les rassurer. Oriana de Witt n'avait pas gagné cette manche.

Quand le vieux 4x4 s'est engagé dans la rue principale, j'ai tourné la tête de tous côtés, sidéré. Où se trouvaient les habitants ? À mesure que nous traversions le village, il m'a semblé que toutes les boutiques avaient été condamnées par des planches. Après les magasins, se dressaient quelques habitations, laissées elles aussi à l'abandon – ce n'étaient que vitres cassées, cheminées effondrées.

1. Référence au filon aurifère que Harold Bell Lasseter (1880-1931) affirmait avoir découvert en Australie Centrale. Ce filon n'a jamais été clairement localisé.

193

– C'est une ville fantôme ? ai-je demandé à Snake qui, courbé sur son volant, tâchait d'éviter les nids-de-poule.

– Pas tout à fait. Mon associé tient l'épicerie.

Je me suis senti soulagé en entendant le mot « épicerie ». Je pourrais téléphoner, me restaurer et peut-être trouver une voiture ou un car qui me ramènerait vers la civilisation.

Tandis que le prospecteur garait son 4x4, j'ai remarqué de rares véhicules stationnés dans la rue. Dans un état de dégradation avancée, ils complétaient ce décor désolé.

Nous avons sauté de la cabine.

Snake s'est tourné vers moi, conscient de ma perplexité.

– Y a plus d'or depuis des années. La banque a fermé. La clinique a fermé. Puis les boutiques ont fermé les unes après les autres, faute de clients. Même le pub a fermé. Tous les jeunes sont partis puisqu'y avait plus de boulot. Au bout d'un moment, il est plus resté qu'une poignée de vieux.

Les mains sur les hanches, Snake a éclaté une fois de plus de son rire grinçant.

– Et eux aussi ont mis les bouts. Maintenant, y a plus que moi et Jackson, à l'épicerie.

Des marches en bois menaient à une véranda poussiéreuse sur laquelle donnaient deux vitrines

sales présentant des boîtes décolorées et du matériel défraîchi. J'ai suivi Snake à l'intérieur, de
l'autre côté d'une porte moustiquaire. Une clo-
chette a tinté et un chien a aboyé.

— Jacko? T'es là? On a de la visite.

Le stock du magasin semblait complètement
périmé : des boîtes de conserves aux couvercles
rouillés et aux étiquettes à moitié décollées s'em-
pilaient dans les coins. Tout était recouvert de
graisse, de crasse et de poussière. Les dates de
péremption des boîtes devaient être dépassées
depuis au moins dix ans! Punaisée au mur, derrière le comptoir, une carte de la région, aux bords
gondolés, était piquetée de chiures de mouche.

J'ai entendu des pas traînants approcher.

— Qui c'est? a crié une voix.

— Qui tu veux que ce soit? C'est moi. Je t'amène
un jeune baroudeur, a répondu Snake en me poussant rudement dans le dos.

Un barbu squelettique aux petits yeux perçants
sous des sourcils broussailleux est sorti de l'ombre.
À ses côtés se tenait un énorme chien noir.

— Il a l'air réglo, a grogné Jacko. Ça fait longtemps qu'on n'a pas eu de visiteur. Je te présente
La Truffe. Le flair le plus fin du pays, pas vrai, La
Truffe? Il peut retrouver n'importe qui, n'importe
quand, n'importe où.

Le chien a grondé en me fixant de ses yeux bruns tandis que les deux vieux schnocks ricanaient. Je les ai observés tour à tour, perplexe.

– Il y a un téléphone ici ?

– Pour sûr, a répondu Snake avec un sourire narquois. Là-bas.

Il a désigné un antique appareil rouge posé sur une étagère. Je me suis approché et j'ai décroché. Aucune tonalité. Le combiné n'était même pas relié au support ! Le fil avait été sectionné.

– C'est les vandales, a fait Jacko en secouant sa tête barbue.

– Z'avaient l'habitude de venir dans le coin pour tout saccager, a précisé Snake. Mais maintenant ça s'est calmé, pas vrai, mon pote ?

– Ouaip, a confirmé Jacko.

– Il n'y a pas d'autre téléphone ?

– Moi, je t'en prêterais bien un, a dit Jacko en sortant un portable de sa poche.

– Je vous paierai la communication. Je dois absolument passer ce coup de fil.

Jacko et Snake ont échangé un regard entendu avant d'éclater de rire.

– OK, a repris Jacko. T'as une idée du prix d'un relais de télécommunication ?

Je l'ai dévisagé, dérouté. Il a allumé son portable et me l'a tendu. L'appareil ne captait aucun signal.

Je l'ai orienté dans toutes les directions, sans plus de succès.

Les deux vieux lascars se sont esclaffés à nouveau.

Il ne manquait plus que ça! Je me retrouvais coincé au milieu de nulle part avec deux barjos.

Le grand chien noir a secoué la tête; les plaques métalliques de son collier ont tinté.

– Il n'y a pas un endroit dans le coin d'où je pourrais téléphoner?

Snake et Jacko m'ont fixé d'un regard vide.

– Je dois à tout prix retourner à Richmond! ai-je plaidé. Vous ne vous rendez jamais là-bas?

– Si, a répondu Snake. J'y suis allé en... 1996. Ou bien en 1997? Tu t'en souviens Jacko?

– Il n'y a pas de transports publics? ai-je insisté, de plus en plus contrarié chaque fois qu'ils ouvraient la bouche.

J'avais la désagréable impression que ces deux types échangeaient des coups d'œil complices comme s'ils manigançaient un sale coup. Jacko a fini par réagir:

– Si. Y a un car qui passe le matin, pas vrai, Snake?

– Exact. Ce bon vieux car du matin. Sur la grande route. À quinze ou vingt minutes de marche d'ici. Y gagne la ville en sept, huit heures.

Qui étaient donc ces types ? Quelle sorte d'épicerie tenaient-ils ? De toute évidence, ils n'avaient pas de clients depuis des années. Il fallait que je m'en aille. Que je rejoigne cette route pour prendre le car.

Je me suis approché de la carte punaisée au mur pour l'étudier et évaluer les distances. Le village de la Dingo Valley y était indiqué, ainsi que d'autres bourgades reliées par une seule route. Sans doute celle qu'empruntait le car.

Au moment où j'allais ressortir de l'épicerie, Snake m'a interpellé :

– Où tu vas ?

– Attendre le car.

– T'es pas fou ? Personne ne s'aventure à pied dans le désert en pleine journée. Tu n'as rien à boire, rien à manger, et le car ne passera que demain matin.

– Et t'as vu ta tronche ? a renchéri Jacko. T'es à pleurer ! Tu ferais mieux de te reposer un peu avant de partir à la fraîche, après une bonne nuit.

J'ai considéré mes pieds, pensé aux ampoules dont ils étaient couverts. Je me sentais épuisé, affamé, encore assoiffé. Ils avaient raison. Snake a repris :

– Y a une pension de l'autre côté de la rue. C'est là que je crèche. Y a plein de chambres. Jettes-y

un œil et choisis celle que tu veux. Tu sais quoi ?
Je partagerai mes haricots avec toi.

Je suis sorti, conscient de leurs regards dans mon dos.

À peine avais-je fait deux pas que j'ai entendu les griffes du chien cliqueter derrière moi sur le plancher crasseux; il m'a suivi sur la véranda. Crispé par sa présence, je lui ai lancé :

– Tout doux, La Truffe.

À mon soulagement, il s'est assis tandis que je m'éloignais.

15:36

La pension m'a rappelé la planque de St Johns Street où je m'étais caché au début de l'année. Le jardin n'était qu'un terrain vague envahi de plantes épineuses, la véranda s'effondrait, la porte d'entrée pendait sur ses gonds rouillés. En pénétrant dans le hall, j'ai eu l'agréable surprise d'y trouver un peu de fraîcheur.

J'ai gravi l'escalier aux marches grinçantes. En longeant le palier du premier étage, j'ai dépassé plusieurs pièces dépourvues de portes dans lesquelles les lits étroits et les armoires branlantes disparaissaient sous la poussière et les toiles d'araignées.

Tout au bout du couloir, une chambre m'a semblé un peu moins sale que les autres, mis à part un monceau de formes indéfinissables entassées dans la cheminée. Tant pis pour la mauvaise odeur – je ne resterais pas longtemps. J'ai enlevé mes chaussures avec précaution. Le mystérieux code tatoué sur ma cheville m'inquiétait. Qu'est-ce qu'il signifiait ? Seul Kevin avait pu l'inscrire. Mais dans quel but ?

J'étais trop épuisé pour réfléchir. Je me suis allongé sur le lit et endormi aussitôt.

22:09

Je frissonnais lorsque je me suis réveillé. Il faisait froid, très froid, en comparaison de la chaleur caniculaire de la journée. Tout en tirant le dessus-de-lit crasseux pour m'en envelopper, j'ai remarqué une boîte de haricots à moitié vide sur la table de nuit – Snake avait dû l'apporter pendant mon sommeil.

Un grattement m'a fait dresser l'oreille. Immobile, j'ai scruté l'obscurité.

Des rats. Des dizaines de rats s'agitaient en couinant. Ils étaient tout proches de moi. Je les entendais se bagarrer au milieu des saletés empilées dans la cheminée. L'idée que des rats aient pu courir sur ma tête alors que je dormais m'a donné la nausée. Même dans les égouts où j'avais séjourné, les rongeurs étaient moins téméraires. Soudain, la boîte de conserve s'est renversée et répandue sur le plancher. Les rats sont devenus fous. Je me suis reculé le plus loin possible, dans un angle du lit. Il fallait absolument que je m'échappe de cette pièce. Malgré la fatigue, j'ai renfilé mes chaussures. J'ai jeté un coup d'œil par la fenêtre cassée. Très haut dans le ciel, des nuages sombres filtraient la lumière de la lune. J'espérais qu'ils me laisseraient assez de visibilité pour me permettre d'atteindre la grande route. Mon sac sur l'épaule, je me suis glissé dans le couloir.

En bas, le vieux prospecteur ne dormait pas encore. Je l'entendais remuer. Il valait mieux attendre qu'il se soit assoupi avant de m'esquiver. Je ne tenais pas à ce qu'il me voie partir. Il y avait chez lui quelque chose de très... inquiétant.

On m'avait raconté que certains chercheurs d'or étaient devenus fous dans le désert : ils parlaient tout seuls, étaient en proie à des hallucinations. Je me demandais si ce n'était pas le cas de Snake et Jacko. J'ai cherché des yeux une arme. L'atmosphère de cette vieille pension délabrée me flanquait la chair de poule.

Tout en m'efforçant de faire abstraction des rats qui détalaient, j'ai fouillé dans la cheminée. Il y avait un objet long et blanc. Je l'ai ramassé. C'était un os.

Était-ce un os humain ? J'ai aussitôt chassé cette idée de mon esprit.

Finalement, pas à pas, marche après marche, j'ai descendu l'escalier branlant. Une ou deux fois, il a grincé ; je me suis figé. Rien ne s'est produit. J'ai continué jusqu'en bas. D'une pièce, sans doute la cuisine, s'échappait la lueur vacillante d'une bougie. Snake s'affairait. Je distinguais un bruit métallique, comme s'il lançait des pièces de monnaie dans une boîte en fer. Le vieux grigou comptait-il son argent ? À cette heure ?

Je devais passer inaperçu.

Je me suis arrêté une seconde, juste derrière la porte entrouverte. Soudain, la voix de Snake a retenti.

Jacko était donc là, lui aussi ? Perplexe, je me suis avancé pour jeter un coup d'œil. Le dos tourné, Snake tenait un portable collé contre son oreille ! Ils m'avaient menti... J'aurais parfaitement pu téléphoner !

– Il dort comme une souche, disait Snake. Il se doute de rien. Il doit nous prendre pour un couple de vieux chercheurs d'or à moitié siphonnés.

Puis il a gloussé et ajouté :

– Je suis peut-être cinglé, mais je sais reconnaître une récompense quand j'en vois une qui se balade sur deux pattes ! Je vais le ficeler en attendant les flics...

Juste à cet instant, la porte contre laquelle je m'appuyais a grincé. Snake a fait volte-face. J'ai aperçu un gros rouleau de corde sur ses genoux.

Aussi abasourdis l'un que l'autre, nous nous sommes fixés pendant une fraction de seconde avant qu'il me saute dessus, les bras levés, la corde tendue entre les mains.

Je me suis rué sur lui pour le déséquilibrer et nous nous sommes écroulés sur la table de la cuisine. Malgré sa maigreur, Snake était d'une force surprenante. J'avais peine à le dominer.

En cherchant à me redresser, j'ai agrippé les bords de la table qui a basculé et s'est effondrée.

Une pluie de petits cailloux m'a bombardé.

Une pluie d'or !

Les pépites rebondissaient sur mes épaules, recouvraient le visage du vieux prospecteur, se déversaient sur le sol.

Tandis que Snake se débattait, secouant la tête pour se débarrasser des pépites, je continuais à lutter contre lui avec acharnement. Au bout d'un moment, je l'ai senti faiblir.

Mais d'un geste aussi vif qu'un serpent prêt à mordre, Snake a tiré un couteau de sa ceinture.

Je ne devais pas lui laisser le temps de s'en servir !

Rassemblant toute mon énergie j'ai empoigné la main qui brandissait l'arme pour l'écraser par terre. Le vieux a hurlé et lâché son couteau qui a glissé non loin de là.

Si Jacko déboulait, il n'aurait aucun mal à me neutraliser.

Toujours à califourchon sur Snake, sans relâcher ma prise, je me suis penché jusqu'à ce que mes doigts effleurent le couteau. Au risque de perdre mon avantage, je me suis étiré le plus loin possible de façon à saisir l'arme. Puis, d'un mouvement rapide, je me suis aussitôt redressé, lui collant la lame sous le nez.

Cette vision l'a immédiatement calmé. Il a louché sur le couteau avant de braquer sur moi ses yeux rougis par la poussière du désert.

– C'est comme ça que tu me remercies ? a-t-il raillé avec son petit sourire narquois.

– Ça suffit ! Je vais me lever et partir. Vous n'avez pas intérêt à me suivre !

J'ai fait glisser la lame contre sa gorge puis, sans le quitter des yeux, j'ai tâté le sol autour de moi pour m'emplir les poches de pépites.

SEPTEMBRE

Je me suis finalement relevé d'un bond avant de
foncer dehors, poursuivi par ses menaces :
— Cours toujours, sale voyou ! La Truffe te trouvera où que tu te caches ! Moi, Jacko, La Truffe et
mon fusil à canon scié, on t'aura, parole de Snake !

J'ai filé comme un boomerang à travers le
désert, bien résolu à ne jamais m'arrêter.

Ils ne me lâcheraient pas, j'en étais convaincu.

Ils étaient décidés à m'attraper, mort ou vif...

Cal survivra-t-il seul dans la Dingo Valley ?

Le coffre de la Zürich Bank est-il inviolable ?

Que savent le Pr Brinsley et Erik Blair ?

La réponse dans

OCTOBRE

Retrouve Cal
et toute l'actualité de la série

sur le site

www.conspiration365.fr

un **forum** pour dialoguer avec les autres fans,
des **infos** (résumés des épisodes...),
des **cadeaux**, des **accessoires**, des **objets**
(badges, tee-shirts, sac à dos...),
des **surprises** (vidéos, quiz, concours,
fonds d'écran de portable...).

L'auteur

Née à Sydney, Gabrielle Lord est l'auteur de thrillers la plus connue d'Australie. Titulaire d'une maîtrise de littérature anglaise, elle a animé des ateliers d'écriture. Sa quinzaine de romans pour adultes connaît un large succès international. Dans chaque intrigue policière, elle attache une importance primordiale à la crédibilité et tient à faire de ses livres un fidèle reflet de la réalité. Elle a suivi des études d'anatomie à l'université de Sydney, assiste régulièrement aux conférences de médecins légistes, se renseigne auprès de sociétés de détectives privés, interroge le personnel de la morgue, la brigade canine ou les pompiers, et effectue aussi des recherches sur les méthodes de navigation et la topographie. Au fil du temps, elle a tissé des liens avec un solide réseau d'experts.

Depuis plusieurs années, Gabrielle Lord désirait écrire des romans d'action et de suspense pour la jeunesse. C'est ainsi qu'est née la série *Conspiration 365*, qui met en scène le personnage de Cal Ormond, adolescent aux prises avec son destin.

Impression réalisée par

BRODARD & TAUPIN

La Flèche

*pour le compte de Rageot Éditeur
en septembre 2011*

Imprimé en France
Dépôt légal : octobre 2011
N° d'impression : 65887
N° d'édition : 5480-02